佛光燦爛

照 *Myanmar* 緬甸

邢協豪(行寫好)/著

○ 博客思出版社

🧑 我的旅行路線圖：南北轉一圈

我計畫從上海飛仰光（Yangon），三天兩夜後飛曼德勒（Mandalay），再兩天兩夜後，坐遊輪從曼德勒沿伊洛瓦底江（Ayeyarwady River）去蒲甘（Bagan），在蒲甘三天三夜後飛回仰光，然後從那裡返回上海。但在最後一刻，答應替我購辦船票的仰光旅館告訴我，由於季節性河水太淺遊輪航班取消。所以我從曼德勒去蒲甘那一段不得不改乘了長途汽車。

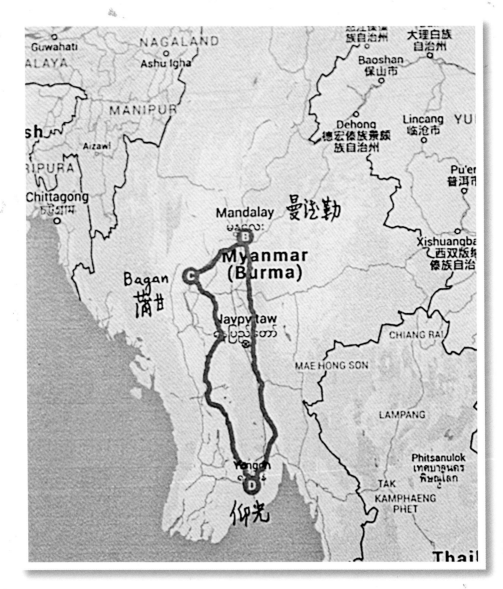

本人獨創的旅行計畫行程表。大小細節包括日期、航班、車次、票價、氣溫、旅館、天數、交通、景點、優先次序等等，均簡潔地歸納於一表一紙之中。條理清晰，一目了然。被網友讚為遊記的「天下第一牛」特色。

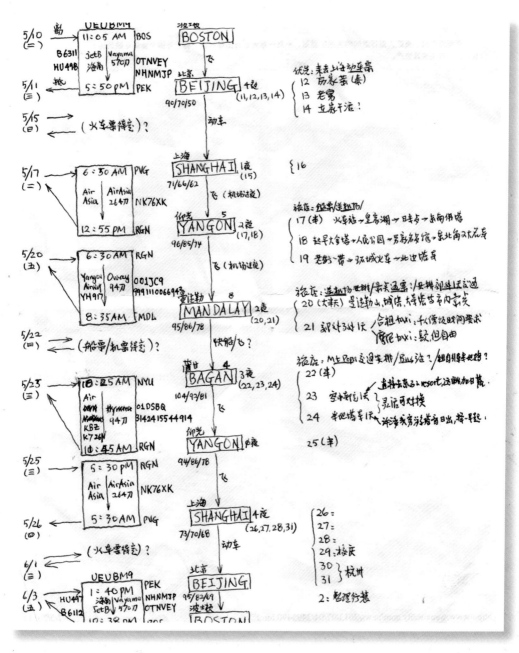

目錄

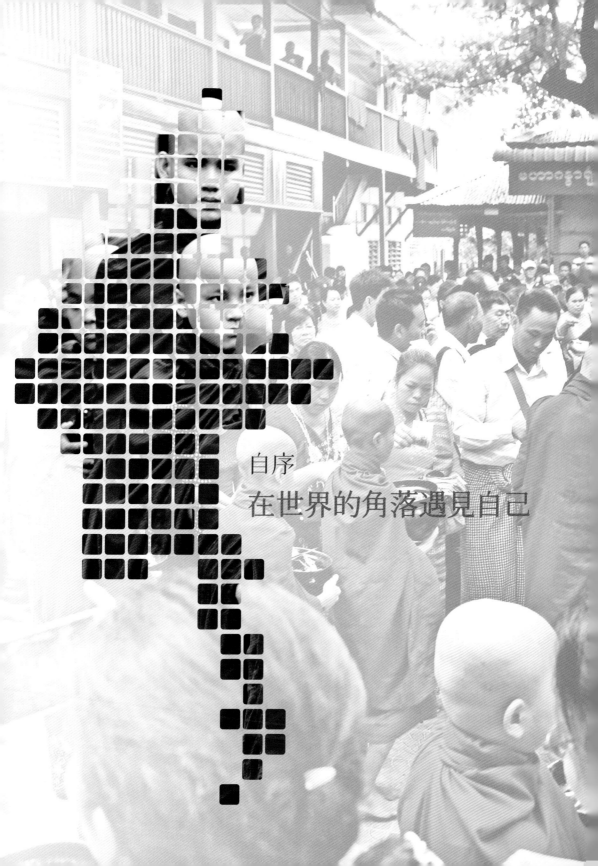

自序
在世界的角落遇見自己

小時候我有過兩個夢想，一個是開汽車，另一個就是周遊世界。但那個時代中國大陸還沒有私人汽車，走出國門也幾乎是天方夜譚。

長大後我成了理工男，大陸改革開放後又出了國。很快我開上了汽車，也開始了周遊世界。

十多年來，我幾乎是單槍匹馬遊天下，走過了歐、美、亞、非四個大洲。我在千山萬水間看到世界，在城堡宮闕裡瞭解歷史，在異國風情中感受人性，在天涯海角處遇見自己。

這時候我開始明白當年的自己：夢想開車，要的是掌控方向和命運，追求一往無前的豪邁；夢想出國，要的是拓展視野和心胸，追求學無止境的瀟灑。「行萬里路」注定是我人生的「必修課」，一門「挑戰自己、認識自己」的必修課。這也是許多旅遊達人和愛好者的共同感受。

在這條「修行」的路上，中國的近鄰緬甸是令人驚豔的獨特一站。

緬甸不大，但歷史悠久；緬甸雖窮，卻人心善良。百姓歷經黑暗，從未放棄希望。緬甸人心中的信仰十分強大，緬甸大地始終沐浴著燦爛佛光。這裡物質條件匱乏但精神生活豐腴，二者的反差給人印象深刻。在此地旅行所經歷的祥和與溫馨，可以不誇張地說，猶如逍遙在天堂般的溫柔鄉。它給人啟迪和思考，佛祖與信仰帶給人們是怎樣的一種精神力量。

去緬甸旅遊的優點十分突出：它價廉物美，名列世界旅遊「物超所值」前列；它社會穩定，有著超越發達國家的安全保障；它湖光山色低調而美豔，遠遠超出人們的瞭解和想像。

當你踏上仰光大金塔聖地，迎來瑞大光金塔一片耀眼佛光；當你站上曼德勒山頂，大小金塔在綠茵叢中閃閃發光；當你登上波帕山度假勝地，對面空中寺院平地而起一峰獨秀；當你走上蒲甘平原，一望無際的千塔萬寺有如千軍萬馬……那一瞬間的驚豔和震撼，就像突然超凡脫俗，降臨到了世外桃源和人間天上。

我於 2016 年有幸踏上這片佛光照耀的國土，走近芸芸眾生的鄰里家常。在佛家文化的寶庫中薰陶，在物質並不富裕的市井中體驗。緬甸在經受了多年軍人專制的「苦海無邊」之後，社會平民依然表現出友好與善良。現在的緬甸已經歷史翻篇，即將迎來「涅槃」般的「浴火重生」新曙光。

6

我的緬甸之行涉足了北方和南方，為的是去看一個完整的緬甸。行程包括了南方的仰光和北方的曼德勒以及蒲甘，涵蓋了當前緬甸旅遊最典型的流行線路。

　　《佛光燦爛照緬甸》一書，就是此次出行的紀實。我試圖在介紹上述城市大小景點的同時，給讀者描繪出一幅原汁原味的當代緬甸市井風情圖。無論您是否已經親歷緬甸，本書將用第一手體驗的敘述以及大量實錄的圖片，與您一起再作一次緬甸南北行。

　　旅遊的計畫是非常個性化的個人選擇。不過，無論您踏上旅途的重點是歷史、是文化、是宗教、是美景、是美食，還是其他；無論您是結伴、是自助、還是親子遊或甚至跟團；緬甸主要城市的景點名勝都將在本書中呈現，它們背後的歷史、傳奇、宗教、故事、逸聞等等，也將詳盡地加以介紹，這些都將給您帶來幫助。

　　這是一本獨一無二的旅記。本書草稿 2016 年首次在網路上發佈後，曾引起強烈反應和極大好評，讚語有：「獨特的遊記」「行雲流水的文字」「洋洋灑灑，說古道今」「一紙走天涯酷到家了，也牛到家了」，等等。網友們鼓勵本人將之出版，與更廣大的讀者及旅行愛好者分享。兩年後，終於經過重新編輯完善，本書在此呈現於廣大讀者的面前。

　　全書有三大特色：

　　其一 平易平實的文風：語言簡煉，文筆流暢，構思周全，史料豐富，使人讀起來輕快愜意；

　　其二 獨創的「一紙走天下」行程規劃圖：旅行計畫的大小細節包括日期、航班、車次、票價、氣溫、旅館、天數、交通、景點、優先次序、安全隱患、注意事項等等，均簡潔地歸納於一表一紙之中。條理清晰，一目了然，具有工程流程設計般的簡練、實用、直觀、方便的優點，被網友稱為遊記中「獨步天下的最牛」特色；

　　其三 全面的景點列表及評分：緬甸主要城市景點的中英文名字對照，以及作者的「五星級別」評分均在書中給出，方便讀者的查找及參考。其他實用的資訊和提示，也貫串全書。有不少網友，就是手握本人遊記的複印本出門上路的。

　　這是一本雅俗共賞、老少咸宜的書。

開篇
佛光照耀著希望的大地

去緬甸原不屬於我的近期規劃，一年前它甚至都不在我的「必去」名單（To-Go List）上。雖然緬甸近年來一度是世界政治新聞的焦點，但在我的印象中，在 2016 年之前它始終只是個「軍人獨裁」和「平淡無奇」的國家。

但在 2015 下半年，有豐富經驗的驢友在世界旅遊頂尖國家的「前 10」（Top10）中，把緬甸列在了「物超所值」的第一位。我周圍同在波士頓的多位遊俠都前仆後繼地去了緬甸，並且歸來後好評一致、讚聲一片，引起了我「一探究竟」的強烈念想。接著就是緬甸 2015 年底前的大選「變天」，翁山蘇姬（Aung San Suu Kyi）正式登上了緬甸的執政舞臺。

眼看著舊日封閉的緬甸即將過去，改革開放的新局就在眼前。外資和遊客的湧入，以及物價上漲的預期，都在告示著：一個不同以往、不再「廉價」的新緬甸正在地平線上出現。

2016 年初，我收到在上海的中學母校 70 週年大慶的消息和邀請。在做回國的規劃時，緬甸便自然而然成了我回中國大陸順道周邊遊的首選。

去緬甸看什麼？毒品金三角探險？果敢紛亂地獵奇？還是去追尋和瞻仰中國遠征軍當年的足跡？

現實中緬甸遊最為流行的是「三市一湖」路線，也就是「仰光 - 曼德勒 - 蒲甘」三個城市，再加上一個茵萊湖（Inle Lake）。

仰光是緬甸第一大城，曾經的首都，馳名世界的佛教瑞大光金塔（Shwedagon Pagoda）就在那裡。曼德勒是緬甸第二大城，幾個古代王朝建都的地方，更是世界文化遺產地。蒲甘也是歷史古城，聞名遐邇的「萬塔之城」。

茵萊湖的名氣則來自當地漁民獨一無二的「單腳划船」造型，但是近年來商業化帶來的「擺拍」趨勢，以及本土原汁原味的消失，加上考慮到時間與季節還有交通等因素的限制，我最後決定捨去。

我計畫從上海飛仰光，三天兩夜後飛曼德勒，再兩天兩夜後，坐遊輪從曼德勒沿伊洛瓦底江去蒲甘，在蒲甘三天三夜後飛回仰光，然後從那裡返回上海。

伊洛瓦底江上的遊輪「泛舟」是一種悠閒的享受。珍貴的兩岸景觀和新鮮涼爽的空氣，加上與當地市民近距離接觸和一窺鄉村生活的難得機會，是廣受國外遊客歡迎的主要原因。

但在最後一刻，答應替我購辦船票的仰光旅館告訴我，由於河水太淺等季節性因素遊輪航班取消。所以我從曼德勒去蒲甘那一段不得不改乘了公共汽車。

緬甸是個信佛的國度，信徒比例高達百分之九十。在轉戰緬甸三大城市的九天八夜裡，我走的是以寺廟和佛塔為中心的標準遊覽路線。到處有佛塔，到處有僧院。其中最負盛名的是仰光的瑞大光金塔。不少中文媒體將「瑞大光金塔」說成「瑞光大金塔」，是圖個「順」字，好聽、吉利而已，其實並不嚴格。

仰光瑞大光金塔號稱「東南亞三大古蹟」之一。另兩個是柬埔寨吳哥窟（Angkor Wat）和印尼的婆羅浮屠（Borobudur）。

仰光除了瑞大光金塔，其他景點還有：皇家湖（Royal Lake），原名是 Kandawgyi Lake、喬達基臥佛寺（Chaukhtatgyi Paya）、班杜拉公園（Bandura Park）、獨立紀念碑（Independence Mournument）、蘇蕾塔（Sule Pagoda）、聖瑪利亞教堂（St Mary Cathedral）、和波特濤塔 (Botataung Pogoda) 等。

◀圖 0-1 仰光大金塔
聖地一片耀眼金
光，佛光燦爛。

　　皇家湖上的卡拉威宮（Karawei Palace）其實是一艘浮於湖中
的雙鳥形大駁船，現在是一家自助餐為主的豪華柚木皇宮酒店，
是外國政要出沒的場所。

　　喬達基臥佛寺的臥佛雙腳有 108 個佛足圖案，十分獨特。

　　班杜拉公園是為紀念英緬戰爭中數度重創英軍，並以身殉
國的緬甸國家英雄班杜拉而建。公園中央豎立著國家獨立紀念
碑。

　　在仰光的最後一天，我去了市中心的「老街」；也乘坐素
有盛名的環城火車（Circle Line）做仰光郊區觀光遊；我還叫計
程車專程去了旅遊寶典《孤星》（Lonely Planet）推薦的當地最
佳緬甸飲食餐館「Feel Myanmar」（感受緬甸），體驗和品嘗緬
甸美食。

　　著名的蘇蕾塔是仰光市中心所在，主要街道以此為中心輻
射展開。它也是「8888 起義」（1988 年 8 月 8 日）和 2007 年「橙

色革命」的聚集地。聖瑪利亞教堂則是緬甸影響力最大的教堂，每天早晚彌撒兩次。

　　緬甸中部的第二大城曼德勒看點很多，我逗留了兩天兩夜。市區內最著名的是皇宮及其圍城城堡（Moat & Fortress Walls, Mandalay Palace），還有北面的曼德勒山（Mandalay Hill）。

▲圖 0-2 曼德勒山上大小金塔在綠茵叢中閃閃發光優雅絢麗。

　　曼德勒老皇宮是緬甸最後一個王朝的皇宮，它的圍城及護城河非常類似於北京故宮的護城河，但規模和水準相差很多。

　　曼德勒山是傳說中佛祖曾經宣揚佛法的地方，它已有二千多年的歷史。曼德勒山腳下還有幾個著名塔寺也非常精彩。

　　山達穆尼寺（Sandamuni Pagoda）是十九世紀中葉的緬甸敏東（Mindon）王為紀念因一起未遂政變而遇害的改革派親弟弟而建。

　　固都陶塔（Maha Lokamarazen Kuthodaw Pagoda）有全世界最大的功德佛塔之稱。

　　金色宮殿僧院（Shwenandaw Monastery）是上述那位敏東王的寢宮，也是他駕崩的地方。但是現在的外景已經看不到「金色」了。

　　獨特僧院（Atumashi Monastery）有曼德勒最美建築之譽。

　　曼德勒市中心南邊有個馬哈牟尼塔寺（Mahamuni Pagoda）香火極其鼎盛，信徒絡繹不絕。寺內有一座青銅貼金佛像據稱被佛祖開過光，是緬甸最重要的朝聖地之一。

　　曼德勒市外最著名的是百年柚木「烏本橋」（U-Bein Bridge），據說是全世界最長的木橋，歷經 160 年依然可用，充滿浪漫和傳奇色彩。它旁邊的馬哈根達楊僧院（Mahargandayone Monaastery）是緬甸最為重要的佛學院，每天上午「千人僧飯」的壯觀景象舉世聞名，外國遊客極多。

　　曼德勒西南還有兩個歷史古城，它們分別是「實皆」（Sagaing）山城和「因瓦」（Inwa）。實皆山上的烏敏東色寺（U Min Thonze Cave）以月牙形的長廊而出名，極具特色。

　　實皆山上的松烏蓬那信塔（Sone Oo Pone Nya Shin Pagoda）位於實皆山最高處，據說內有佛祖兩顆牙齒的舍利。

▲圖 0-3 百年柚木老橋烏本橋是個浪漫傳奇。

▶圖 0-4 馬哈根達楊僧院每天上午的「千人僧飯」情景壯觀。

　　因瓦的雅達那塔寺遺址 (Yadana Hsimi Pagoya Complex) 有三座露天佛塔佛像令人印象深刻。

　　因瓦的馬哈昂美寺（Mahar Aung Mye Bon San Monastery）是十九世紀上葉一位王后為一位國師高僧所建的住所，本身也是一座寺院。

　　在曼德勒西南 180 公里不遠處的蒲甘，也是座歷史古城，是曾經的「萬塔之城」。歷盡戰爭和地震的破壞，現在寺塔依

然有數千座之多。它的熱氣球升空節目也是世界級的,但我去的五月份已經停止運作。

蒲甘最出名的塔寺有:瑞西光塔(Shwezigon Pagoda)據信供奉著釋迦牟尼的骨骸和牙齒;阿南達寺(Anadan Temple)有「緬甸的西敏寺」美名;達賓紐寺(Thatbyinnyu Temple)名字含有「無所不知」的意思;許三多塔(Shwesandaw Pogada)內據傳供奉有釋迦牟尼的神聖毛髮;達瑪揚基寺(Dhammayangyi Temple)則

▲圖 0-5 實皆山端莊秀麗佛光處處猶如仙境。
▶圖 0-6 空中寺院建在曾經的火山口上。

▲圖 0-7 空中寺院平地而起一峰獨秀巍然聳立。

是蒲甘最大的塔寺，12 世紀蒲甘王朝時期拿勒胡（Narathu）王殺父弒兄奪位後，為彌補自己的罪過而建此寺。

　　除了蒲甘老城的塔寺之外，在城外約一小時車程的波帕山（Popa Mountain）也有兩處令人驚豔的風景地，通常也是攝影發燒友拍攝日落奇景的「大愛」。

　　空中寺院（Taung Kazlat）是一個位於 777 個臺階之上、657 米高處的僧院，那里曾經是火山口。

　　從波帕山上的波帕山勝地（Popa Mountain Resort）遠眺空中寺院，景觀尤其震撼。

　　我在緬甸一路走來，所見所聞超出預期，緬甸的山山水水和民風民俗使我留戀，令人難忘。

　　緬甸雖非大國，卻也是個歷史悠久的文明古國。40 萬年前就有直立人居住，西元前一萬一千年前就有了石器時代文化的例證。

它在歷史上也曾經強大過。12 和 13 世紀時，緬甸一度是東南亞兩大主導的強國之一。

20 世紀 60 年代緬甸出現過聯合國秘書長吳丹，21 世紀成功的民主人權鬥士翁山蘇姬更是世界人民嚮往自由民主的象徵。這些都顯示了緬甸在世界政治舞臺上扮演過和還在扮演著的角色。

在緬甸的現實生活中，依然能看到印度、英國、日本、以及中國對它產生過的影響。

印度很早就與緬甸有貿易來往，輸入的不僅有印度商品，也有印度文化，最主要的是印度佛教，還有印度建築以及印度政治觀念。在後來英國殖民統治時期，大量廉價印度勞工移民湧入緬甸，也對緬甸地方經濟造成了巨大影響。

英國在 19 世紀後期對緬甸有過三次戰爭，勝利後將緬甸歸入英屬印度的一個省。英國的殖民統治對緬甸的基礎交通建設和教育事業有正面的影響和大幅的改善，直到二次大戰結束。英國建築在大城市裡依然可見並保存完好。

日本在二戰中捲入緬甸，成立傀儡政權，並支持翁山領導的獨立義勇軍反對英國殖民政府。翁山率軍與日軍一起對抗過英軍及中國遠征軍的戰鬥，而且在日軍支持下（第一次）宣佈過緬甸從英國統治下獨立。日本對緬甸在各個方面的影響，可以說正是從這個特殊時期開始的。

中國對緬甸的影響，主要是 20 世紀中葉後長達 30 多年的軍人獨裁統治期間發生的。

在這三個大城市裡轉悠，殖民時期的英國建築依舊四處可見。起源於印度的咖哩食品在緬甸也已成為主流。大街上的轎

車如果不是幾乎一式的日本製造，至少也有 80% 以上。普通人對日本好感依舊。

緬甸之行歸來，給我印象最深的有兩條：一是在普通人的日常生活中，傳統文化及民族服裝的保存和發揚；二是佛教教義和行善好施的深入人心。

▶圖 0-8 大街上停著的轎車，不難發現日本車居多。

在仰光，約超過 80% 的人都還穿著民族服裝，男男女女下身多愛穿像裙子一般的「紗籠」：男式叫「籠基」（Long-gyi），女式叫「特敏」，在大街小巷到處可見。不光因為天熱，也因為女性愛美之心的自然表露，通常服飾色彩鮮豔，亮麗大方。即使並非特殊的民族或宗教節日，也是如此「盛裝」。這在世界上並不多見。

緬甸女性民族服裝鮮豔亮麗，連移民至此的中國女人也喜歡。我在曼德勒所住旅館的女主人，來自中國雲南，也是一身亮麗。

宗教在整個國家的盛行和對人們日常生活的影響極其顯著，僧伽社會地位的崇高在世界上屈指可數。與之密切相關的是，在佛教思想的長期影響下人們的樂善好施令人驚訝，已成為緬

甸人的一種習慣。幾乎天天有人募捐，有人施捨。其慷慨程度
屬於世上罕見。

　　緬甸全國數以千計萬計的佛塔和寺廟就是信徒捐款修建的，
所以不少古老的塔寺都經費充足，維護得常年光鮮亮麗。幾十
萬僧尼的齋飯、袈裟和日用品等也多來自教徒佈施。我在馬哈
根達楊僧院就親眼目睹了千人僧飯時，幾十甚至上百的信徒踴
躍捐贈的壯觀場景。

　　緬甸地處熱帶，年平均氣溫 27 度。暑熱難當，飲水需求大，
很多路邊的人家店家常放有飲水桶杯，供路人使用。因為緬甸
人認為，幫助別人是一件很積德的事。

▼圖 0-9 馬哈根達楊僧院裡人們在踴躍捐贈。

如果把緬甸普通人的這些特性和優點進一步放在社會的大環境下考慮，就更顯珍貴與難得。

緬甸國內的民族紛爭和持續內戰曾經高居全球之首，在軍人獨裁統治下的人權紀錄的惡劣也曾是世界罕見。社會財富集中於極少數前獨裁軍政府及其支持者

▶ 圖 0-10 仰光路邊商家門口的罐裝水桶和水杯供行人免費飲用。

的手中，他們與廣大民眾的貧富差別，是世界上最嚴重的國家之一。

儘管如此，在新的時代正在開啟之際，也許正是因為苦盡甘來人們更加感恩惜福，也許是佛光高照從未離開過這塊土地，這裡的人民表現得更加友好善良，隨時隨地願意伸出助人的援手。不僅對自己的同胞，而且也對外來的訪客。

我曾在仰光迷路。路邊小食攤一位女老闆知道後，放下顧客和手邊生意讓助手照應，專門幫助我十多分鐘。最後找回我的旅館。

曼德勒機場大廳計程車攤位競爭激烈卻出奇地文明友好。最早和最耐心接待我的，最後意外被另一攤位「配位合租」成功而奪走生意，年輕人依然笑容滿面祝我一路順風。

蒲甘空中寺院上山時號稱有 777 級瓷磚臺階，雨大腳滑。下山時我滑而傾斜，一刹那前後三、四人搶來扶我助我，才沒有摔倒。站穩再走時，一中年婦女堅持抓我胳膊扶我一同慢慢下行。語言不通，她沒說一句話，怕我再摔，陪我走了幾十步臺階，確信我沒問題了才離開。分別時我為她拍了照片留念。

　　我曾想過要否給她 tips，但很快否定了。這樣反而顯得不尊重她了。後來與我同行的英國夫婦和義大利年輕人聽說了，也覺得不應從錢的角度去謝她。

　　我在蒲甘最後一天租用「eBike」（一種電動摩托），剛出發不久就不小心胳膊撐地摔倒，左手錶帶脫落，右手兩處破皮出血。那一剎那有兩、三個人急忙過來扶我，有男有女，幫我撿起手錶，配回錶帶，攙我起來，扶好車輛。一位懂英文的男子並對我問長問短，把我全然當成熟人。

　　在我周遊世界到過的很多國家，尤其是不發達地區，往往人民淳樸友好但「計程車司機」一群卻常是例外。但是在緬甸，我租車多次，沒有任何不愉快的經歷。無論白天黑夜，無論街道陌生熟悉，每當我需要找人問路或說話，隨意趨近一位路人，不論男女，不論老少，不論外貌「美醜」，不論面相「凶善」，一旦接近開口，都可以基本上得到友好善意的回應。真是一種愉悅的經歷，一種美妙的境地。

　　這裡的人們說起翁山蘇姬，說起取代軍人的新選政府，都流露出由衷的支持和喜愛。他們告訴我，新的政府重視基本建設了，新的教育制度要開始實行了，以前從未有過的變化就要發生，他們有的是期待。

　　這是一片佛光照耀逾千年的大地，這是一片劫後重生充滿希望的大地。

　　佛祖保佑緬甸！

第一章
金塔金光照仰光

　　對於大多數外國人來說，仰光幾乎是唯一廣為人知的緬甸大城市。它也確實是緬甸的第一大城，但不再是它的首都。1855年英國把緬甸變成自己的屬地後，曾將首都從曼德勒移到了仰光，但是150年後的2005年，當時的緬甸軍政府又決定將首都遷至名不見經傳的內比都（Naypyidaw）。

　　儘管如此，仰光依然是緬甸最重要的經濟、政治、文化、宗教中心，是人們心目中的「首都」。去緬甸，就是要去仰光。

　　仰光的地理位置得天獨厚，位於號稱緬甸「母親河」的伊洛瓦底江南部下游的三角洲上，是全緬甸最富庶最發達的地區。2500年前它只是個小漁村，因為那裡有三個山崗，故古稱「大光」（Dagon），即梵文「三崗村」的意思。

　　曾經統一緬甸的貢榜（Konbaung）王朝，在攻佔「大光」後，為祈求「消弭兵災、永保和平」，遂將城市改名「Yan Koun」，意思是「敵人」、「走出去」。二個字結合，就成了「Yangon」，即現在的「仰光」。

　　仰光是我進入和離開緬甸的樞紐站，仰光機場的落地簽證也十分方便。機場內部相當敞亮現代，但是走出機場，坐車進城的沿途，公路兩旁的破敗之相開始顯露。

　　我在仰光逗留了三天兩夜。仰光大金塔是仰光也是緬甸的第一景點，是仰光和緬甸的象徵，是我看緬甸的重中之重。

◀圖 1-1 仰光飛機場內廳相當敞亮。

▲圖 1-2 仰光大金塔入口處的緬式獅身人面獸。

🙏 仰光大金塔

　　貢榜王當年頂禮膜拜祈求保佑的地點，就在現今的仰光大金塔。大金塔是仰光最早的著名建築，緬甸人稱它為「瑞大光」寶塔。「瑞」是「金」的意思，「大光」就是原城市名。

　　這個大金塔大有來頭，它是佛教的一個世界級聖地，與柬埔寨的「吳哥窟」和印尼的「婆羅浮屠」並稱為「東南亞三大古蹟」。據說它「一古腦兒」供奉了四位佛陀的遺物，即：拘留孫佛（Kakusangha）的「杖」，正等覺金寂佛（Konagamana）

的「淨水器」，迦葉佛（Kassapa）的「袍」，以及佛祖釋迦牟尼的「八根頭髮」。

其中關於佛祖的「八根頭髮」與大金塔的傳說尤其「美麗凍人」。

當年有兩個去印度取經的緬甸商人兄弟，曾在印度發生饑荒時運糧去救濟，並贈送一種緬式糯米糊糕給釋迦牟尼。釋迦牟尼成佛後為報答緬甸人，回贈八根頭髮，由緬甸兄弟帶回緬甸，他們又獻給了國王。在打開金盒取出供奉的瞬間，佛祖的髮絲散出金光穿透天地，震撼山湖，霎那間金磚與寶石自天而降。眾人撿拾起金磚砌成佛塔，所以今日大金塔塔身所鋪的金，一部分是真正的金塊製成的。

▲圖1-3 仰光大金塔群在明媚的陽光之下金光閃閃相當震撼。

大金塔的傳說已有 2500 年歷史，但考古學家相信它的建造時間是在六世紀至 10 世紀之間。

大金塔位於仰光南面最高的聖丁固達拉山（Singuttara Hill）上，占地約 200 米見方。山崗高近百米，大金塔本身高 110 多米。它居高臨下俯視著仰光，佛光四射，照耀全城。

大金塔離市區並不遠，步行約三公里。公車在市中心的蘇瑞塔附近有 204 路或 43 路汽車可達。由於天熱，我決定叫街上的計程車，2000 緬元（Kyat），不到 2 美刀就直接去了。它有東南西北四個入口，每個入口都有巨型石獅鎮守，又稱獅身人面獸，十分威武。一旁也有石階梯和電梯上下。南門是主要入口。

當我到達山頂，大金塔一下子出現在自己面前的時候，眼前一片金光閃閃，相當震撼。

大金塔端座在平地中央，塔形像只覆地的巨鐘，底部周長有 400 多米，底座呈梯田形狀。金塔中部有一個飾有花朵的倒置缽盂。上部是蓮花瓣烘托著頂端的金屬寶傘。寶傘高五米、重 1000 多公斤。傘尖頂著金球，金球鑲著數千鑽石和紅藍寶石。塔簷下還掛著數百上千的金鈴和銀鈴。

大金塔的覆地巨鐘外形，從下往上各層依次是：梯田形底座，倒置的帶花飾缽盂，蓮花瓣，金屬寶傘，傘尖頂著的金球。

大金塔的這種設計別具匠心。佛家佛門的金鐘、寶傘、缽盂、蓮花等一應俱全，全都融合於金塔一身，反映出緬甸佛學佛塔文化的演化。它已經脫離印度佛塔形態的歷史傳統，開始「瘦身」和「蛻變」，獨立發展出了自己的風格。

仰光大金塔連同它周圍的另外四座中塔和 64 座小塔，總共使用了黃金七噸之多。整個聖丁固達拉山上，大小金塔巍然聳

▶圖 1-4 大金塔塔形
像一隻覆地倒扣
的巨鐘。

◀圖 1-5 大金塔
區供信徒祈禱
的廳堂。

立，金塔之林一片祥瑞輝煌。

在仰光大金塔區，大金塔四周還環繞著十幾、幾十座廳、亭、殿、堂，以及信徒的祈禱室等，是一個大型綜合的建築群體，也相當於一個內容豐富的佛教博物館。它值得慢慢觀賞，細細品味。

大金塔區的很多廳堂供奉著佛祖佛陀的塑像，信徒們可以在那裡膜拜祈禱。

在大金塔區內的東北方向，有一個特別的中大型金塔，名叫「Naungdawgyi Paya」，也稱「年長兄弟之塔」（The Elder Brother Pagoda），據說佛祖的八根頭髮最早由兩商人兄弟帶回，就是供奉於此的，所以它比大金塔還要「年長」。

靠近北大門處，一個殿堂裡供奉著佛祖的腳印（Buddha's Foot Print），足有一米多長。

一口帶有傳奇色彩的巨大銅鐘，也安放在大金塔區。它重

◀圖 1-6 專心致志默默誦經的僧人。

28

▲圖 1-7 右後方的中型金塔據稱是最早供奉佛祖八根頭髮的地方。

達 42 噸，由貢榜王朝的 Tharrawaddy 王「捐贈」給仰光大金塔，故名「The Bell of King Tharrawaddy」。這是緬甸的一個珍貴文物。1824 年英國佔領緬甸之後，曾企圖將它運至印度。緬甸人在裝船時故意將之沉入仰光河底，英國人多次打撈均告失敗，緬甸人由此保住了古鐘。

在大金塔最最東北角落，一個小廳堂裡安放著有玻璃罩著的三塊巨石，那是有名的「Dhammazedi Stone Inscription」石刻碑文。15 世紀中後葉，緬甸分裂時期有一個叫 Dhammazedi 的藩王，他本人曾是個僧侶，在位時立志改革緬甸佛教，克服離經叛道的宗派主義。碑文記錄了他回歸正統小乘佛教的決心與做法，也是記錄緬甸與錫蘭間的宗教來往的一個（最）重要文獻。

緬甸人相信星座說，用八個星座分別代表星期一至星期日，其中星期三又分上、下午（所以總數為八）。每一個星座對應

▲圖 1-8 佛祖的腳印有一米多長。

▲圖 1-9 帶有傳奇色彩的珍貴文物大王鐘。

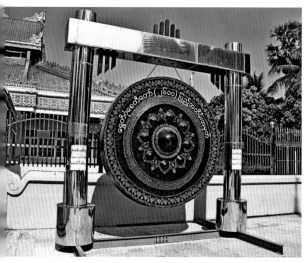

◀圖 1-10 具有現代結構的
大圓盤。

▶圖 1-11 制服學生來仰光大
金塔舉行活動儀式。

　　一種動物，也對應一個「佛相」。信眾來此向自己的「星期」
和「佛相」供花潑水，並祈禱許願。圍繞大金塔和其週邊的那
些小金塔，就是各個星座所對應的「星期」和「佛相」的「牌
位」。

▶圖 1-12 玻璃櫃裡三塊石碑記錄著
　　　一位藩王改革緬甸佛教的歷史。

▶圖 1-13 一個與「星期五」對應
　　　的星座牌位。

▶圖 1-14 兩個閒散著的導遊。

　　大金塔的參觀券可以在一天內多次使用。很多遊客在夜晚涼快之後，會再次來此，觀賞燈光下的金塔美景。當地人也喜歡在工作之餘、太陽下山後來此休閒聚會。每年四月盛大的潑水節就在大金塔這裡舉行。

　　大金塔里若有人上前主動開口英語：How are you doing？肯定就是私人導遊，可惜我不需要他們的服務。他們要價不菲（一萬緬元），難怪找遊客不易。我就遇到兩位這樣閒散著的導遊，坐在一起與他們閒聊了一會兒。他們告訴我，身後坐著的還有閒散著的幾位，實際上也是找遊客服務的攝影師，生意不佳，謀生不易。

　　與仰光大金塔毗鄰還有兩個重要景點，它們是：東面的皇家湖，湖北面的喬達基臥佛寺，這三處都在步行距離之內。但由於涉及山路，加上炎熱的天氣，所以叫計程車是最佳的選擇，一、二美刀就可搞定，緬甸物價的低廉可見一斑。

皇家湖和卡拉威宮

　　皇家湖是個人造湖，英國殖民統治期間為提供清潔飲用水而建，現在成了遠觀大金塔的最佳地點。皇家湖的另一個熱點，是其湖面上的卡拉威宮，金碧輝煌，氣勢宏大，是緬甸風格的代表性建築。它的造型是兩隻並肩而棲的巨大「妙聲鳥」，一種傳說中的神鳥。它們背駝一座寶塔，浮游在水面。

　　其實卡拉威宮是一艘可以移動的駁船，緬甸人設計，完成於 1974 年。它裡面是裝飾華麗的娛樂餐廳，經常是外國政要出沒的地方，但也對一般大眾開放，晚間常有自助餐外加民族歌舞表演。

◀圖 1-15 皇家湖湖面
　　開闊靜謐優美。

▶圖 1-16 皇家湖上的
　　卡拉威宮全景。

◀圖 1-17 卡拉威宮的造型是兩隻並肩的大鳥。

▼圖 1-18 皇家湖南岸的水上步行道通往仰光大金塔。

喬達基臥佛寺

　　喬達基臥佛寺不收門票，但希望遊客自願捐贈，入口處便有功德箱。進殿不久我看到一位獨自打坐的信徒，當我轉完一圈坐下小憩時，他主動上前同我聊起臥佛寺。據他所說，這個規模宏大的寺廟乃信徒捐贈而建，建造歷時 70 多年。2015 年歐巴馬（Barack Obama）來過此地。

　　臥佛寺供奉著緬甸最大的臥佛塑像，高五米多，長 20 米。令人嘖嘖稱奇的是，臥佛那雙巨大的腳板上雕滿了 108 個佛足的圖案，隱喻著 59 個「人」的世界、21 個「動物」的世界、28 個「神」的世界，也代表著人的 108 次輪迴。它象徵著天地萬物盡在佛的腳下。佛永遠超脫「人」、「動物」、眾「神」，不再在三界中輪迴。

▲圖 1-19 喬達基臥佛寺廳外走廊很長很氣派。

◀圖 1-20 喬達基臥佛寺
供奉緬甸最大的臥佛塑
像。

▶圖 1-21 臥佛全身像
的十個腳趾都是至
福的全「鬥」。

◀圖 1-22 臥佛腳底的 108
個佛足圖案獨一無二。

▲圖 1-23 臥佛寺裡的孔雀座椅。

🗿 五重塔寺

喬達基臥佛寺南面緊鄰著另一個稍小的五重塔寺（Nya Htat Gyi Pagoda），走走就到，可順便一觀。那裡有一個巨大的佛像。這些寺廟都沒有標牌介紹說明，也無專業導遊服務。

我在仰光的最後一天，去了仰光靠南的市中心。那裡的班杜拉公園和蘇蕾塔都是重要景點。附近的「老街」和中國城也值得順便一遊。

▼圖 1-24 五重塔寺的巨大坐佛像。

◀圖 1-25 五重塔寺內的金屬窗飾。

▶圖 1-26 五重塔寺裝飾屏的精美木雕。

◀圖 1-27 五重塔寺坐佛頭上的鑲嵌寶石。

班杜拉公園

　　班杜拉公園以緬甸國家英雄班杜拉命名，他在英緬戰爭中指揮有方，數度重創英軍，最後在一場激戰中以身殉國。公園中央豎立著緬甸獨立紀念碑，四周圍繞著市政廳、高等法院等重要建築。這裡是當地人日常悠遊閒聚的好去處。

▼圖1-28 班杜拉公園和緬甸獨立紀念碑。

▼圖1-29 班杜拉公園北面的仰光行政大樓。

▲圖 1-30 班杜拉公園東面的高等法院。

▲圖 1-31 班杜拉公園裡的男女青年和我比劃手勢
閒聊一會兒。

蘇蕾塔

　　蘇蕾塔緊鄰班杜拉公園。雖然面積不大，地位卻十分重要。它的建造時間甚至早於仰光大金塔，而且在選擇決定仰光大金塔地址時，人們祈禱「諮詢」過居住在這裡的「NAT」，意思是：緬甸佛教裡一種半人半「神」、「Spirit」類的人物。

　　蘇蕾塔供奉著蘇蕾神，蘇蕾神是仰光大金塔所在的聖丁固達拉山的保護神。緬甸二兄弟最早迎回的佛祖「八根頭髮」，也曾暫存於此。蘇蕾塔還保存著佛舍利，以及早先的三個佛陀的其他遺物。

▼圖 1-32 位於仰光市中心的蘇蕾塔。

可惜由於年代太久遠，已經沒人記得所存放和掩埋的確切地點了，只有那個「NAT」曾目睹過那一切。但是他太老太嗜睡了，只有用樹枝撐開他眼皮時，才能搖醒他。後來眾「神」（Gods）、其他「Nats」、還有人聚集一堂，圍著這位「NAT」，終於使他想起來了，埋葬地就在現在的蘇蕾塔下。

　　當然，這一切都是傳說。

　　蘇蕾塔的結構設計顯示，在仰光大金塔之前，緬甸佛教就已經開始擺脫南印度佛教文化的影響，佛塔佛寺有了自己的風格。

　　在地理位置上，蘇蕾塔是名副其實的城市中心，整個仰光的主要街道都以它為中心向四周延展。這種城市佈局始於 19 世紀中，歸功於當時的一位孟加拉工程師 Lt.Alexander Fraser 的規劃，他也是英國軍人。為紀念他，有一街道就以其姓 Fraser 命名，現已改為 Anawrattha Road，是條東西向的主要街道，與我的旅館僅一街之隔。

▲圖 1-33 蘇蕾塔向北延展的主要大街就以蘇蕾塔命名。

◀圖 1-34 蘇蕾塔路上
的過街橋離中國城
不遠。

▶圖 1-35 蘇蕾塔路
上的豪華酒店。

▶圖 1-36 路遇來自大陸
的老鄉，相貌酷似大
陸著名導演陳凱歌。

蘇蕾塔在仰光甚至緬甸都曾一度是政治的焦點。「8888 起義」以及 2007 年的橙色革命，這裡就是爭民主遊行的聚集地點。那時數千名僧人圍繞著蘇蕾塔，為民祈禱。蘇蕾塔也見證了當年軍政府對示威遊行者的血腥鎮壓。

　　在沿蘇蕾塔路北行時，問路遇到中國大陸來的小「老鄉」，相貌酷似大陸著名導演陳凱歌。老兩口隨兒子來緬甸做生意兩年，也有自己的業務。據他說，這裡再朝北走，高牆裡面住著很多非常富有的人家，緬甸貧富分化十分嚴重。

　　一路走過，時不時地能看到路邊的小食攤。這樣的攤子很多，買的人卻不多。不由感慨她們維持生計不容易。

▲圖 1-37 到處可見的路邊小食攤。

🧘 聖瑪利亞教堂

　　在我走上回旅館方向時，所在的街道 Rogyoke Aung San Road 與蘇蕾塔路並行，上面有個瑪利亞教堂，哥德式，歷史悠久，是緬甸影響力最大的教堂。它用多種不同語言佈道，早晚各一次。

▲圖 1-38 聖瑪利亞教堂歷史悠久。

▲圖 1-39 老街的起點是個行駛車輛的過街橋。

老街

　　老城區有一條「老街」是行前我朋友特意推薦的，那是仰光早期流傳下來的「別名」，它的正式名字叫 Pansodan Street，離蘇蕾塔不遠。那天早晨我決定去親身一睹為快。

◀圖 1-40 早晨的老街街景。

▲圖 1-41 老街上的英國老建築風采依舊。

▲圖 1-42 老街上的書攤。

👤 中國城

▲圖1-43 中國城不在老街，而是在蘇蕾塔西面。

　　中國城離開老街不遠，走過老街正好去順道一逛。

　　在最後一天所剩的時間裡，我還去了城市東南角波特濤塔，也乘坐有名的仰光環城火車作仰光郊區走馬觀花遊。

🧘 波特濤塔

　　波特濤塔又叫千佛塔，因為傳說中護送過印度來的聖物的
一千個佛人曾經陪葬於此地。建造時間接近仰光大金塔。它在
1943 年被英國皇家空軍炸毀，20 世紀下半葉重建時，發現了
二千多年前的文物與珠寶，所以十分珍貴。

▶圖 1-44 波特濤塔入
　口處的街樓。

◀圖 1-45 波特濤塔外
　景。

▲圖 1-46 有百年歷史的仰光火車站。

🧘 環城火車

　　仰光環城火車是瞭解城郊人日常生活與貧富分化狀況的一面小鏡子。仰光火車站角樓很有緬甸特色，據說是英殖民時期所建，已有百年以上歷史。

　　仰光環城火車車廂平時乘客不多。車廂頂部裝有風扇的票價貴一倍，但也極其低廉：200 緬元環繞仰光一大圈，相當於不到 20 美分。

◀圖 1-47 仰
光火車站
角樓的緬
甸特色。

▶圖 1-48 仰
光火車站
內的候車
廳，規模
較小。

▼圖 1-49 仰光環城火車車廂
裡賣瓶裝水的小女孩。

▲圖 1-50 仰光環城火車圍繞
郊區轉一個大圈。

▶圖 1-51 火車經過仰光
近郊的平民樓，已經
接近貧民窟了。

◀圖 1-52 火車駛經郊外
的貧民窟。

◀圖 1-53 Meilamu Paya 寺廟在
Tadakalay 那一站下車可達。

我在車站月臺上遇到賣瓶裝水的小女孩，見我是外國遊客，一路跟進車廂死纏爛打兜售。我其實手頭已有瓶裝水，但看她年輕可愛，賺錢不易，就再買一大瓶吧。

環城一圈回到城裡後，我溜溜達達時看到一家中餐館。剛進門一位老闆模樣的長者就從櫃檯後走出來，上前問我是不是中國人，我是：是啊！他笑顏大開，非常興奮的樣子，讓我感受到一種他鄉遇故知的熱切。

中餐館老闆來自臺灣，落地生根已有多年。未到開飯時間顧客不多，他便坐著陪我聊天。他告訴我，這裡的人們都很樸實友好，自己的生活雖然不算如何富裕，卻也過得舒心快樂。我注意到後面牆上掛著一幅熟悉的電影《教父》劇照，他說因為兒子喜歡。這樣的萍水相逢，更讓我感受到緬甸的親切。

緬甸工業基礎薄弱，電力供應不足。在仰光的兩個夜晚，旅館斷電多次發生。所幸時間不算太長，十來分鐘之後便會恢復。

最後一天下午我從波特濤塔步行回旅館途中，在路邊攤上買了個芒果500緬元，當場削皮就吃，味道不好。經過一家小店買果汁飲料，服務員說一杯500，但另一位女孩榨完汁遞給我

▼圖1-54 仰光市區一家小型中餐館。　　　▼圖1-55 熱情的中餐館老闆來自臺灣。

時報價卻是 300，我不解，問：究竟價格是多少？前一位支吾，兩位窘迫著。最後從裡面走出一位中年女士，慈眉善目舉止端莊，問了幾句後告訴我，應該是 300，並遞上紙巾為我擦汗。原來她是店老闆。此為插曲一段，有點意外。我不清楚究竟發生了什麼。

在仰光的幾天，旅館供應的免費早餐每天都一樣：一個雞蛋，一根香蕉，一小盤西瓜，兩片烤麵包，另有黃油、果醬和咖啡。在後來曼德勒和蒲甘，基本上都大同小異。

在大街上找人問路或與人閒聊，懂英語的並非絕無僅有，但以年長者居多，英國殖民時代的「遺產」吧。年輕人會英語的反而不多，畢竟與國門尚未改革開放有關。

有人說過，去仰光「衝」的就是大金塔，看看它就夠了。這話有相當的道理，因為大金塔太驚豔神奇，太絢麗奪目，整個仰光就好像都在它的金塔金光照耀之下。它為仰光增光，仰光也為它驕傲。

但是與東南亞其他大都市相比，仰光依然顯得不繁榮不發達。在軍政府獨裁下招致的多年經濟制裁，加上本身經濟結構的封閉、脆弱及不合理，緬甸長期無法走出困境。1987 年曾被聯合國列為世界上最不發達國家之一。仰光市內很少看到新的基本建設項目，前殖民地建築所占比例很高。新式的、多樣的、多管道的外資投入，目前主要是新加坡和中國，還極待開拓。

好在黑暗已經過去，變化正在發生。

願瑞光大金塔的佛光、金光照遍仰光每一個角落！

MANDALAY

第二章
皇城皇氣曼德勒

　　曼德勒是緬甸第二大城，位處緬甸中部。儘管它在政治、經濟、文化等各個方面現在都無法媲美仰光，它的輝煌歷史卻是遠非仰光所能及的。

　　在殖民時期開始的 1885 年之前，緬甸統一過的王朝只有三個：蒲甘王朝、東籲王朝（Taungoo）、貢榜王朝。它們的首都均在緬甸中部。

　　其中蒲甘王朝定都蒲甘，現已「淪為」一個歷史城市，並以古塔古寺著稱，而且它離曼德勒僅 180 公里，其實也屬於大曼德勒地區。而東籲王朝定都在東籲，現在只是個區級城市了。

　　惟有曼德勒，它是貢榜王朝的古都，皇宮、圍城、炮塔、角樓等保存最為完整，且定位市中心，面積很大，依舊呈現一片皇城皇家氣派。

　　不僅如此，在東籲王朝之前的二百多年間，緬甸還出現過多個藩王割據的小王朝，最出名的是勃固王朝（Pegu）和阿瓦王朝（Ava）。而在那個阿瓦時期，曼德勒一帶曾出現實皆和因瓦兩個小王朝，它們就在曼德勒西南 20 多公里的地方，也屬於大曼德勒地區。

　　不誇張地說，曼德勒一帶充斥著古王朝的皇家祥瑞之氣，是品味緬甸古代歷史的最佳之地。

　　我從仰光飛往曼德勒。仰光的國內航班與國際部分開，相隔一座樓，內部條件卻相差很大。候機處也小，幾乎算不上「廳」，幾排長條凳椅而已。總共五、六個航空公司，各占一、二個簡易檢票（Check-In）小櫃檯。行李重量的限制也不嚴格，根本不予查驗。整體管理系統的運作依然粗糙原始。

　　我等到登機時才發現，那個航班飛機本身不小，但是 70 個

座位只有六位乘客。中間有停靠站時，又上來一批，這才開始
熱鬧起來。

　　抵達曼德勒後，我在機場與人併車合用計程車，一個小時
來到市區。曼德勒街道橫平豎直，都是數字標稱，方向感比較
強，但是街道顯得髒亂，路況不佳。

　　我在曼德勒逗留了兩天兩夜。

　　第一天，我去遊覽市內著名的曼德勒皇宮及其圍城，以及
北面毗鄰的佛家聖地曼德勒山，還有山腳下的幾個塔寺。

　　第二天，我包了一輛計程車，去實皆和因瓦兩個古都，同
時去了大名鼎鼎的烏本橋，以及它附近的馬哈根達楊僧院。在
出發離開市中心前，我還遊覽了著名的馬哈牟尼塔寺。

宏 大 壯 觀 曼 德 勒 大 皇 宮

　　曼德勒皇宮位於古城中央，方方正正，每邊長達 2-3 公里。宮外有寬 64 米的護城河，宮內有殿堂 100 多座。二戰時殿堂全部被毀。整個宮闈四道主門，八個邊門。宮牆上每隔 170 米間距就有一個兼具防衛和裝飾功能的炮塔。

　　曼德勒皇宮在 1989 年重建，還不是太遙遠的事。重建恢復了 89 座大殿，1996 年重新開放。

▲圖 2-1 曼德勒皇宮及護城河。

◀圖 2-2 皇宮圍城的
角樓顯得單薄。

　　大皇宮及圍城和護城河的佈局，很像北京的紫禁城。不過
它占地大，宮內空地、樹林、綠地面積也大，但是建築的設計
和施工遠不及故宮的精美。

　　皇宮對外開放的只有東門。當地人不收門票，外國人收
12000 緬元。進門後還有幾百米的步行路，才能到達主要宮殿。
於是門口就有了摩托車載客的服務，可以「拉載」你一段，從
宮大門到主大殿，收費 2000 緬元（不到二美刀）。

　　我挑了一位司機，談了個「一攬子」交易：看完皇宮還去
曼德勒山，以及山下的四個寺塔。他開價 20000，我和他一一細
算，他最後不得不承認 10000 才是合理的。他沒想到我是有備而
來的，哈哈。

　　這位當地小司機與一般緬甸人比起來算得上「頭子活絡」，
從他開始要價的獅子大開口可見一斑。在後來的幾個小時相處
中，說好是最後送回旅館一次性交付，他卻幾次試圖讓我提前
付款。一會兒說身上沒錢了，要我先付 1000，上山又說加汽油
讓我先付 200。點子頻出，小聰明盡顯。

◀圖 2-3 皇宮入口處
　　的軍人。

▶圖 2-4 曼德勒
　皇宮前的加
　農炮。

▲圖 2-5 曼德勒大皇宮主殿。

▶圖 2-6 皇宮
殿堂的圍欄
相當精緻。

▲圖 2-7 皇宮大殿裡供著敏東王和皇后的塑像。

皇宮內的各種殿堂廳所都是柚木結構，緬式風格。宮內建築對外開放的有：召見群臣的大殿，王室人員的居室，嬪妃專用的後宮等。所有殿堂均為單層建築，看上去卻依然宏偉壯觀。

　　皇宮裡最值得一看的，是建築群西面的瞭望塔。它有 120 臺階，33 米高。登頂可以俯視整個皇宮建築群，甚至遙望曼德勒的城市景色。

▶圖 2-8 曼德勒皇宮裡的建築有日式風格的影響。

◀圖 2-9 從瞭望塔上俯視曼德勒大皇宮裡的建築群。

▲圖 2-10 遙望曼德勒山勝地。

佛教勝地曼德勒山

　　曼德勒山是緬甸著名的佛教朝聖勝地，已有 2000 多年的歷史。山高 240 米，是整座城市之「最」。山頂、山腰、山腳分佈著眾多的寺廟、佛塔、僧院。上山有 1700 多臺階，也有公路可以乘車登頂。

　　步行上曼德勒山，是信徒的一種功德。在半山腰的一座寺廟裡，從 1923 年直至二次大戰，曾供奉過佛陀釋迦牟尼的三塊遺骨。戰後被移至山腳下的一棟建築內，不再對外開放。

在近山頂處，有一尊鍍金的站立佛像，右手指向曼德勒大皇宮。它紀念的是一個傳說：當年佛祖曾經來過此地，並預言佛教 2400 歲誕辰時，所指之處將建立起一座偉大的城市，佛教的教義將繁榮興盛。

　　在山頂的祈福許願大殿南面，還有一個小佛塔，供著一個「Ogress」（食人魔），傳說「她」最後為了佛祖奉上了自己的乳房！對於如此極端的供奉，佛祖專門預言和許願道：「她」的來世，將重生為一位偉大君主，在佛教 2400 年誕辰之際（1857 A.D.），這位君主會在此山旁建起一座新城，並成為佛教的有力支持者。

▲圖 2-11 曼德勒山頂的祈福許願大殿。

▲圖2-12 曼德勒山頂的殿堂建築相當精美漂亮。

　　我沒有徒步上山，而是乘坐機動摩托登頂的，所以沒在山腰處停留，並沒看到那個鍍金的站立佛像。在山頂平臺祈福許願大殿南面，我也沒有找到那個特殊的 Ogres 小佛像。我只看到一個小塔臺「群」，台下方有多個像似兔子、小公雞或蜥蜴之類小生靈的塑像，代表著佛祖在「出生、受難、死亡、重生」的無窮循環中的不同層次，與我想像和預期的那個身後伴有軍隊塑像並向佛祖頓首膜拜的「King of Ogres」不盡相同。

　　和佛祖的預言巧合的是，佛教於西元前六世紀在古印度誕生，「2400」年後正是緬甸的貢榜王朝（1752-1885 年）時期。

◀圖 2-13 通往曼德勒山頂的電梯。

▶圖 2-14 連接山頂與電
梯的走廊通道。

◀圖 2-15 山頂供
奉的小塔臺。

▶圖 2-16 曼德
勒山上的寺
廟與山腳下
南側的大皇
宮遙相呼應。

◀圖 2-17 曼德勒
山上的大多塔
寺隱匿在漫山
遍野的綠茵叢
中。

◀圖 2-18 曼德勒山上山下漫山遍野的寺廟群優美無比。

▶圖 2-19 曼德勒山下開始出現當代新建築。

　　更有意思的是，貢榜王朝的敏東王正是於 1857 年為曼德勒城市奠基，1858 年遷都曼德勒，並對佛教進行了全面保護。緬甸佛教在東籲王朝達到鼎盛之後，在敏東王朝代繼續興旺發達。敏東王本人，儼然就是傳說中的那個重生的偉大君主。

　　這些傳說都使曼德勒山充滿神奇與魅力。

　　二戰期間，有「小拿破崙」美稱的英國將軍湯瑪斯・溫福特・里斯（Thomas Wynford Rees）曾率英國第十四軍的印度第 19 步兵師進攻曼德勒，日軍的主要抵抗陣地就在曼德勒山，山

上的塔寺僧院「蜂窩般」地佈滿重兵，佈滿機槍。

　　山腳旁的大皇宮是另一個抵抗陣地，日軍十分頑強，英軍強攻不下，最後不得不採用空襲、炮轟外加曳光彈點燃汽油桶等戰術，才突破了防線。

　　曼德勒大皇宮當年的毀壞，是由於炮轟、空襲，還是敵人的有意破壞？歷史至今未有定論。

◀圖 2-20 曼德勒山下北側是一片平原美景。

▶圖 2-21 曼德勒山仙氣環繞深邃高遠。

▲圖 2-22 山達穆尼廟的主殿。

🧘 敏東王的四大寺院

　　曼德勒山腳下還有幾個著名塔寺，它們相距很近，也非常
精彩，而且都與敏東王有關。

　　山達穆尼寺廟是十九世紀中葉敏東王為紀念因一起未遂政
變而遇害的改革派親弟弟加襄王而建。寺廟中央的金色大佛塔
據說存放著他的骨灰。大金塔四周圍繞著 758 座白塔方陣，十
分壯觀。

固都陶塔被緬甸人
視為全世界最大的功德佛
塔，也是個白色的佛塔群。
這個佛塔名聲非常大，是
因為修建完成的 1857 年，
敏東王主持了有中南半島
的 2400 位高僧參加的第五
屆佛教宗教會議，完成了
佛經的第五次修訂。

敏東王決意要為後人
留下點名垂千世的業績，
所以又將佛經全部纂刻在
了 729 座雲石碑上。後人
更在每座石碑週邊修起白
色小佛塔，成為宏大、壯
觀、齊全的「世界最大的
一本」佛經書。固都陶塔
因此而揚名天下。

金色宮殿僧院是敏東
王的寢宮，也是他駕崩的
地方。整個建築原本在曼
德勒大皇宮內，後代君主
避諱敏東王之「死」，才
遷移到現在的位置，成了
一座僧院。由於曾是君王
的寢宮，其建築要比一般
寺院精美繁縟得多。尤其

▲圖 2-23 山達穆尼廟的大金塔里存
放著加襄王的骨灰。

◀圖 2-24 山達穆尼廟的 758 座
白塔方陣十分壯觀。

◀圖 2-25 山達穆尼廟的白塔莊
嚴肅穆。

◀圖 2-26 固都陶塔被緬甸人視
為全世界最大的功德佛塔。

▶圖 2-27 固都
陶塔的祈禱
大廳。

▶圖 2-28 固都
陶塔石碑群
上雕刻著世
界最大的一
本佛經。

是大殿週邊門牆窗柱上的雕花裝飾，密麻重疊、眼花繚亂，極盡繁華之能事。而「金色宮殿」名稱的來源，則是因為它內牆及屋頂原先塗刷的是金色。現在外面不見金色，裡面金色不再。

獨特僧院是我在曼德勒山腳下遊覽的最後一個寺院。它也是敏東王與大皇宮同時期

▶圖 2-29 金色宮殿僧院是敏東王的寢宮。

▶圖 2-30 金色宮殿僧院外廊的雕花裝飾。

▲圖 2-31 金色宮殿僧院的掛鐘。

所建，曾有曼德勒最美的建築之譽。原為全柚木，1890 年燒毀，1966 年用水泥在原址重建，但已經失去了原先的奢華，風格也不同於典型的緬甸寺院，反而類似於歐風大教堂了。它內部十分空曠，是誦經念佛的好地方。

▶圖 2-32 獨特僧院曾有曼德勒最美建築美譽。

◀圖 2-33 獨特僧院內部空曠類似於歐風（基督教）教堂。

▲圖 2-34 獨特僧院內部大廳裡祈禱臺上的敏東王塑像。

🧘 朝聖貴地馬哈牟尼塔寺

　　第二天去曼德勒郊外之前，經過市中心南的馬哈牟尼塔寺，寺廟裡有一座據稱被佛祖開過光的青銅貼金佛像，因而香火鼎盛，信徒絡繹不絕，是緬甸最重要的朝聖地之一。

▲圖2-35 馬哈牟尼塔寺的金子塔形佛塔在緬甸南部十分少見。

◀ 圖 2-36 馬哈牟尼塔寺裡信徒們排長隊朝拜金佛像。

▶ 圖 2-37 馬哈牟尼塔寺的青銅貼金佛像。

百年柚木浪漫烏本橋

　　大名鼎鼎的百年柚木浪漫老橋烏本橋，位於曼德勒西南約 10 公里處的季節性湖泊東塔曼湖（Taungthaman）上。整個橋體全長 1200 米，據說是世界上最長最老的木橋，全部用緬甸最著名的柚木做成。它始建於 1856 年，歷經 160 年依然可以正常使用。

　　烏本橋的建設歸功於敏東王。他是個極其虔誠的佛教信徒，在解決湖水漲落影響交通而建此橋的同時，他要求橋的結構也同樣體現佛教的「六和精神」[注]，為此在橋上專門加上了六座遮風避雨的休息亭。

▲圖 2-38 百年柚木老橋烏本橋。

◀ 圖 2-39　本地人外來人都愛來烏本橋。

▶ 圖 2-40　烏本橋最重要的中間部分可以直接上下。

▲圖2-41 烏本橋所在東塔曼湖有泛舟遊覽節目。

　　烏本橋的名字，則來自當年具體執行建造該橋的市長的名字。所用柚木取自先前因瓦小王朝的皇宮回收的建材，所以均為上品中的上品。全橋總共有1086根「橋墩」聳立於水上，日久天長洪水的衝擊，以及魚類配種引起的湖水滯留，部分木墩已有損壞，現為水泥柱取代。

　　烏本橋現在每天人來人往，遊客絡繹不絕。國內外遊客慕名而來一睹老橋的不朽與神奇；雙雙對對的青年人在橋上體驗「懸空、超脫」般的浪漫與飄逸；結隊的家屬親友像趕集與郊遊似地來此閒散悠遊；佛門子弟迎對廣袤的湖面與遙遠的群山感悟大自然和上蒼的禪意；攝影發燒友們則為這裡的日出日落

▼圖 2-42 烏本橋上的情侶。

▼圖 2-44 在烏本橋下
　　的湖面行走。

▲圖 2-43 烏本橋上的僧侶。

▼圖 2-45 在烏本橋下的湖面行車。

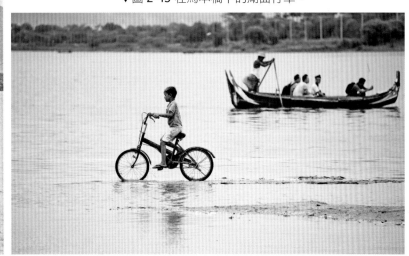

景觀而傾倒癡迷⋯⋯

　　烏本橋的日落景觀是攝影發燒友的大愛。日落時分烏本橋的剪影，加上橋上影影綽綽的人影，展現出難能可貴的獨特意境。這裡的司機導遊也都知道這個熱點，毫不猶豫答應晚間再次來到橋邊。吃過早晚餐後我便和那裡的人山人海一起靜候火紅夕陽西斜的那一刻。到了五點半左右，天色雖暗卻未變黑，突然下起雨來，等候的人群開始散去，但是雨越下越大，大有傾盆而來之勢，人們一陣呼喊，如鳥獸散。我在屋棚之下等了一會兒，不見有停止的跡象。招呼一聲司機，我們回城了。

　　遺憾的是，進城不到半小時之後，居然雨停了，但是天也黑了。我不知道是應該覺得遺憾，還是幸運。

▲圖 2-46 親友家人喜歡來烏本橋休閒。

◀圖 2-47 佛家
僧人喜歡來
烏本橋「悟
道」。

千人僧飯馬哈根達楊僧院

　　就在烏本橋附近的馬哈根達楊僧院，只有短短 50 多年的歷史，卻是緬甸最為重要的佛學院。僧人年齡跨度從 12 歲的小沙彌直到 65 歲的大住持，是全國僧人最多的，高達千人。

　　聞名遐邇的「千人僧飯」景觀，是海內外遊客趨之若鶩、爭相競睹的焦點。它指的是每天上午約 10 點半左右，僧人們手持缽盂，排隊去食堂打飯用餐前的一幕。在隊伍拐入餐廳之前的一個院子裡，有幾十甚至上百的信徒們也會靜候著給每一位僧人佈施。整個場面和過程有條不紊、熱烈平和，十分壯觀難得。

▼圖2-48 馬哈根達楊僧院千人僧飯的壯觀場面。

▲圖 2-49 千人僧飯隊伍
中的年輕僧人。

　　據說信奉佛教的緬甸家庭，男子一生
須出家修行至少一次，時間短則幾周長則幾
年，有的乾脆終身為僧。馬哈根達楊僧院和
其他很多寺院一樣，餐食以及日常用品，都
來自信徒的供奉。而且不僅來自國內，也來
自海外。

▲圖 2-50 可愛的小沙
彌。

▲圖 2-51 千人僧飯深受
世界各地遊客喜愛，
這是來自法國的一隊
遊客。

▶圖 2-52 僧人用飯也有
大油大肉。
▼圖 2-53 院裡的信徒在
僧人進入餐廳之前踴
躍佈施。

▲圖 2-54 新建的因瓦鋼鐵大橋。

富麗娟秀古都實皆山

曼德勒西南還有兩個歷史古城，它們分別是實皆和因瓦。

實皆王朝的古都（1315-1364）在實皆山上。它同時是一個寺塔和僧院集中的佛教中心。

曼德勒去實皆山需跨過伊洛瓦底江上新建的因瓦鋼鐵大橋。

實皆山上的松烏蓬那信塔位於最高處，是這裡最富有、最主要的寺廟。由於現金捐贈充足，寺廟裝潢得富麗堂皇。大殿裡釋迦牟尼的巨型坐像十分醒目，腳下圍放著很多捐款箱，按用途分門別類，這是此寺廟的一大特色。據說這個寺廟內有佛祖兩顆牙齒的舍利，尤顯特殊與珍貴。

▶ 圖 2-55 實皆山上的松烏蓬那信塔。

▶ 圖 2-56 烏敏東色寺的淺藍色拱門一進一出相鄰。

▲圖 2-57 烏敏東色寺內
廳一對拜佛的信徒。

◀圖 2-58 塞特古國際佛
學院正門設計新穎。

大殿外面是一個巨大的平臺，眼前的伊洛瓦底江繞山而行，景色秀麗。

　　實皆山上的另一個主要寺廟是烏敏東色寺。這是一座「非典型」的混合式寺廟，它的月牙形長廊獨一無二，十分「另類」。長廊共有 30 個拱門，意寓僧人打坐的洞穴。寺廟的名字「U Min Throze Cave」就含「洞穴」之意。

　　在上到實皆山之前，我還去了塞特古國際佛學院（Sitagu International Buddhist Academy）。這不是古蹟，而是嶄新的高等教育機構，專職培養佛學的本科和研究生人才。它建於 1994 年，由佛教界德高望重的「尊者」主持，以佛教的「三折」為目的，即：傳播，修行，實現佛學經典。接受的學員有僧人，尼姑，也有非佛教人士。

▲圖 2-59 塞特古國際佛學院主殿靚麗大氣。

▲圖 2-60 布嘎雅僧院。

🧘 被人遺忘古都因瓦

　　因瓦王朝屬於阿瓦時期，它的古都現已遭遺棄。去因瓦需要跨過瑪坦哲（Myitnge）河，一條伊洛瓦底江的分支小河。包車一日游的司機只管送到岸邊，並在河邊等候。我得自己擺渡過河，每人來回 1200 緬元（約 1 美刀）。對岸有很多雙人座馬車在等候生意，每人收費 5000，去遊覽四個景點。

　　這四個景點是：布嘎雅僧院（Bagaya Monastery），皇宮守望台（Palace Watch Tower），雅達那塔寺遺址，以及馬哈昂美寺。

▶圖 2-61 布嘎雅僧
院的漂亮廊柱。

▲圖 2-62 雅達那塔寺遺址。

布嘎雅僧院建於
1593 年，柚木結構。1821
年被大火燒毀，1992 年
重建。

雅達那塔寺遺址有
三座露天佛塔佛像。隨
著因瓦王朝的瓦解及古
都的遺棄，它們也成了
「被遺忘的佛像」。

▶圖 2-63 雅達那
塔寺遺址。

馬哈昂美寺建於
十九世紀上葉。貢榜
王朝有一個國王叫孟既
（Bagyidaw），他的王后
為一位國師高僧作為住
所而建此寺院。1838 年
大地震中被毀。該王后
的女兒後來成了敏東王
的王后，遂將之修復。
它是貢榜王朝時期建築
的代表作。

▶圖 2-64 馬哈昂
美寺大門入口。

馬哈昂美寺大門處
的緬式獅身人面獸酷似
仰光大金塔守門的雕像。

兩天兩夜的曼德勒
之行，是我在緬甸三城
三地的遊覽中，感覺最
充實的一站。

▶圖 2-65 馬哈昂
美寺。

▼圖 2-66 仰光去曼德勒的小飛機。

▲圖 2-68 去曼德勒途徑的蒲甘機場非常簡單。

▲圖 2-69 曼德勒機場的
計程車攤位。

我從仰光去曼德勒時，乘坐的是仰光航空公司（Yangon Airway）的飛機，經過蒲甘。在蒲甘停留時只剩我一人還在原位。等待從當地新登機的乘客進站前，機組人員和我一起站在飛機旁閒聊。他們告訴我，法國的「空客」飛機便宜，但美國的「波音」性能好。

駕駛員訓練兩年半，在一段航班的整體運行中，副駕駛需聽從正駕駛安排任務，而非兩人平均輪換。比如這次他們出勤共分四個時段，正駕駛會根據航線以及身體狀況等來計畫和調配具體任務給副駕。

聊天結束時我為駕駛員們拍照留影。圖中左邊肩頭三條杠的是正駕駛，右邊二條杠的是副駕。

到達曼德勒時，機場計程車攤位很多，競爭激烈。它們一字排開，價格完全一樣：包車進城 12000 緬元，三人分享每人 4000。

他們競爭激烈卻出奇地文明友好。最早和最耐心接待我的，最後意外被另一攤位將我與一位老者「配位合租」而成功奪走生意，年輕人依然笑容滿面祝我一路順風。這個過程給我留下很好的印象。

在第一天遊覽大皇宮時，曾偶遇兩個女孩，其中一位在入口處就主動與我打招呼，告訴我購票和參觀的一些事項，她會說中文。原來從她爺爺來緬已經三代，父親中國人，母親緬甸人。在宮內參觀時，她還特意過來告訴我，那邊角落處的觀望塔可以居高臨下俯視全景，千萬不要錯過。

第二天在馬哈根達楊僧院等待千人僧飯一幕時，聊到一對大陸自助游老夫婦，男廈門人，女來自四川。兩位均已70多歲，依然神采奕奕。各人一台高檔相機，儼然一對攝影發燒友，哈哈。

我在浪漫烏本橋上溜達時，聽到傳來的中國話音。回頭時恰與一男子雙目對視，就此開始了小聊。他們共三位，在越南做生意成功已有五載。為首的曾姓湖南人，合夥的河南盧姓，還有一位緬甸華僑，正打算將薯條小吃生意擴展到緬甸。我問他們隨身有無樣品？他們拿出樣品照片，看著不小的包裝，僅賣200緬元，不到10美分，非常便宜。曾姓的領頭人一臉書生氣，溫文爾雅，給我印象深刻。

一天傍晚我在旅館附近找到一家餐館，用餐期間外面開始下雨。令我意外的是，大雨滂沱之下，白天好端端的市區大街竟然大水漫淹，水位高達數寸，只得脫鞋帶襪而行。天黑之下，

▼圖 2-70 曼德勒大皇宮偶遇中國血統的熱心女孩（左）。

▼圖 2-71 馬哈根達楊僧院偶遇大陸自助游老夫婦。

▼圖 2-72 烏本橋上萍水相逢越南來的中國生意人。

加上路邊攤的遮掩，短短幾十米之中居然錯過旅館，來回幾次找不到它。狼狽之中，我跌跌撞撞邁向一家小店鋪。剛躲入屋簷，耳邊傳來柔聲招呼，我抬頭，眼前是一位年輕美麗的姑娘。她用手指指門右邊，說：ET 就在隔壁兩家。她居然知道我需要什麼，ET 正是我的旅館名字。我感激點頭，轉身果然很快找到了旅館。

那天晚上，我忘不了那裡的街道狀況在大雨之下竟然如此不堪一擊，也忘不了隔壁美麗姑娘為我指路時那張溫柔體貼的笑臉。

雖然逗留的時間不長，我在曼德勒遇到的每一個人，幾乎都給我留下了熱情友好、溫柔謙和、坦蕩大氣的感覺。真不愧為曾經的皇城根下的子民後代。

如果說，緬甸第一大城仰光是瑞大光金塔的一支獨秀，有的是大都會的當代城市氣息，那麼皇城曼德勒則是緬古懷舊皇氣充斥的歷史古都。從佛家聖地曼德勒山到仙風飄逸的實皆山；從大一統的貢榜王朝到本地藩王的實皆王朝和因瓦王朝；從殿堂叢叢的曼德勒老皇宮到人去寺空的因瓦雅達那塔寺遺址。大曼德勒處處飄逸著古代緬甸、尤其是以貢榜王朝敏東王為標記的緬甸歷史遺風。

曼德勒皇城皇氣猶存，是個值得細品回味的地方。

[注] 佛家的「六和」是：「戒和」同修（法制上人人平等）；「身和」同住（行為上不侵犯他人）；「口和」無諍（言語上和諧無諍）；「意和」同悅（精神上志同道合）；「見和」同解（思想上建立共識）；「利和」同均（經濟上均衡分配）。

BAGAN

第三章
千寺千塔老蒲甘

　　蒲甘被有的遊俠稱為緬甸的名片、最值得去的城市。雖然說得有點誇張，卻有相當的道理。最主要的原因，是其廣袤原野之上那千寺千塔傲立齊天的獨特景觀。那是一種無與倫比的沉靜中的壯麗，在攝影發燒友的眼裡和鏡頭之下，尤其是旭日初升和落日西斜的隱隱綽綽之中，那一片朦朧紗曼簡直就是遙遠天國投射到了人間。

　　蒲甘的那一片千寺千塔之地，也是與世界熱氣球三大聖地的澳大利亞的昆士蘭（Queensland）、土耳其的卡帕多奇亞（Cappadocia）齊名的蒲甘熱氣球旅遊所在地。

　　可以說，蒲甘不但景觀獨特美麗，而且活動激情刺激；蒲甘不但古老悠久，而且現代時尚。

　　蒲甘位處緬甸中部，在「緬甸母親河」的伊洛瓦底江中游。城市開始於西元二世紀，城防建築完成於幾百年後的 849 年。在殖民時期開始的 1885 年之前，緬甸統一過的三個王朝中，蒲甘王朝是最早最老的。（其他兩個是東籲王朝和貢榜王朝。）

　　蒲甘王朝一開始比較虛弱落後，曾對當時的中國北宋遣使朝貢。直到 11 世紀初出了個雄心勃勃的阿奴律陀（Anawrahta）王。他引入小乘（Theravada）佛教並立為國教。然後在列國爭霸中，西征若開，南下庇固，北侵八莫，直至中國雲南，這些都是當年的周邊小國。他還援助錫蘭以抵禦南印度藩王國的侵犯。阿奴律陀的東征西伐使其能夠一統天下，並使蒲甘王朝最終發展演變成為現今的緬甸。

　　與此同時，阿奴律陀為了提倡佛教，開始大量建造佛塔佛寺僧院。這個傳統在後來的國王江喜陀治下也有很大的繼續與發展。

　　「可惜」阿奴律陀在位「僅」33 年，他是被野牛撞死的。

繼位的兒子在一場叛亂中被俘，而讓逃出的大將江喜陀繼承了王位。最終江喜陀統治28年，蒲甘王朝各方面都搞得不錯。

在前後總共250多年裡，蒲甘一直是王朝的政治、經濟、文化和宗教中心。統治者在小小的100多平方公里的平原上，蓋起了一萬多座佛教的紀念豐碑，其中包括約1,000個佛塔，10,000個小寺廟，3,000個僧院，蒲甘成了宗教與世俗並存的學習和研究中心。從印度、斯里蘭卡和當年高棉帝國遠道而來的僧侶和學生們，在這裡學習與鑽研韻律學、音韻學、語法、占星術、煉丹術、醫學和法律。五花八門，無所不包。

蒲甘王朝最後在蒙古人的反覆入侵之下於13世紀末覆亡。

歷經近千年的歲月滄桑和天災人禍，尤其是位處地震帶的不利條件，原先的「萬塔之城」現在只剩下約二千座大大小小塔寺及遺址。並無證據是蒙古人破壞了那些塔寺，歷史學家甚至懷疑蒙古人是否真的抵達過蒲甘城，而且即使到過，他們的破壞也不大。如今的蒲甘，已經成為一個歷史古城和佛教文化遺址並存的著名旅遊勝地。

▲圖 3-1 離我旅館不遠的娘烏街景。

　　緬甸政府現在成立了一個專屬的「蒲甘考古區」（Bagan Archaeological Zone），進入這個「考古區」需要交費 24 美刀。當局的考量，是建一個類似於柬埔寨吳哥窟那樣的世界文化遺址，成為世界級的旅遊勝地。當年的緬甸軍政府就為此目標進行過大規模的修繕工程，但是他們同時在古城闢高爾夫球場、蓋高速公路、立瞭望塔。一系列的「瞎折騰」，招到國際上藝術史學家和古蹟保護主義者的一致譴責，至今沒有獲得「世界歷史文化遺址」的認證。

　　其實古蹟修復中的「瞎折騰」，在蒲甘是有「傳統」的。當年佛教接近鼎盛期的貢榜王朝，也有過一次「系統性」的更新裝修，魄力不可謂不大，做法卻大有問題：修復不忠於原本，新加了並非古蹟的銘文和壁畫，甚至為了「加固」建築竟在古蹟表面塗抹灰泥，被史家批為「缺乏品味」，是對真跡的「破壞」。

　　蒲甘歷史與文化的核心，自然是宗教，而且是佛教。但是它雖「獨尊佛教」，卻也相當包容。儘管小乘佛教從 11 世紀起就受到王朝皇家的特殊眷顧，其他教派例如大乘佛教（Mahayana Buddhism）、密宗佛教（Tantric Buddhism）、各種印度佛教（Saivite, and Vaishana）、甚至原生萬物有靈論（Native Animist，Nat）都能與之相安無事。

　　蒲甘王朝滅亡後，蒲甘作為一個居住地存活延續了下來。信徒依然來此朝聖，但是香火鼎盛不再，新建寺塔廟宇的數量也日漸減少。到了今天，依然有香客朝拜的，只有阿南達寺、瑞西光塔、狄羅明塔、達瑪揚基寺，以及蘇拉瑪尼寺等幾個了。

　　老蒲甘北面的娘烏（Nyaung U）市，是蒲甘地區的商業集中地，機場旅館商業等都在這裡。照片中的娘烏街景，依然顯得落後，那裡離我旅館不遠。我去時是雨季的開頭，已近旅遊淡

◀圖 3-2 娘烏街上的小鋪。

◀圖 3-3 娘烏街上的代步兼
觀光遊覽馬車。

季。

　　從曼德勒去蒲甘，我原計劃坐游輪沿伊洛瓦底江順流而下，
但因季節性水位過低而臨時取消，所以最後是坐長途車去的，
車程五個多小時，中間有 20 分鐘休息。

　　長途汽車提供了與乘客接觸閒聊的機會。一位德國佬帶著
法國女友正是我的鄰座，他自稱離職一年周遊世界，將來隨時
可以返回那個美國公司。他們後來碰巧也是我蒲甘游的同伴。

　　聊起德國和梅克爾的難民政策，他認為歷史上有過多次類
似的移民潮以及相應的社會恐慌，但是後來移民都能融入社會。
他認為反移民後面有納粹。又說歐元區貨幣統一而財政獨立是

個大問題，但會慢慢解決。他不理解美國為何反對奧巴馬的醫保法案，覺得全民醫保是天經地義的。總之，這是一位典型的歐洲左派社會民主主義者。

我在蒲甘逗留了三天三夜。緬甸的旅館多喜歡收現金，美元與歐元也受歡迎。

我遊覽的重點自然是蒲甘老城周圍的塔寺。除此之外，城外約一小時車程的波帕山一帶，也有兩處令人驚豔的風景地，通常也是攝影發燒友拍攝日落奇景的大愛。

我花了一整天遊覽老蒲甘四周的寺塔區。因為屬於保護區，生活的基本設施都限於它北面的娘烏，以及南面的新蒲甘，包括機場商店等。寺塔區除了一兩條柏油路經過之外，都是小路土路。指望公共交通走遍那些主要塔寺，基本沒戲。

遊覽塔寺可有三種辦法：計程車、e-Bike、自行車。在雨天，只有計程車尚能接受。幸運的是，那天是晴天。我試用了e-Bike，出發不遠就摔倒。覺得還是自行車容易控制，反正路也不算遠。

▲圖3-4 e-Bike使用非常普遍，出租的小店鋪到處可見。

e-Bike 看似簡單易學，但是需要時間試行適應。我所遇到的遊客，幾乎都有摔倒的經歷，只是程度不同而已。所以上路之初，切記留給自己一個習慣的過程。

由於地形坎坷，除了主大街之外，塔寺所在的鄉間小路不光雨天時泥濘難行，晴天的計程車照樣會有顛簸不斷，所以老年人即使腿腳尚可，也有可能腰部經受不起上下的震盪起伏。

現在保存較好的塔寺，基本上集中在蒲甘老城區內外方圓不到約 10 多公里的區域裡。從娘烏向西南有一條阿奴律陀路（Anawratha Rd）通向老蒲甘，北面另一條與之並行的蒲甘 - 娘烏路（Bagan-Nyaung U Rd），還直接與老城門相接，但是門已不門，沒有城牆的影子了。

我從娘烏的旅館出發，沿著蒲甘—娘烏路朝西朝南，順著地圖上的主要寺塔騎車依次參觀。一天的時間看了瑞西光塔、狄羅明塔（Htilominlo Temple）、阿南達寺、達賓紐寺、瑞山陀塔、達瑪揚基寺，以及其他一些小塔寺。

▲圖 3-5 瑞西光塔內部景觀。

瑞西光塔

上路後最先到達的是瑞西光塔,它實際還在娘烏,是一個鍍金佛塔。它由蒲甘王朝的奠基人阿奴律陀始建,完成於他兒子治下的 1102 年。塔寺裡據信供奉著釋迦牟尼的骨骼和牙齒。該塔寺場地較大,又圓又尖的塔頂令人印象深刻。

▼圖 3-6 瑞西光塔據信供奉著釋迦牟尼的骨骼和牙齒。

▲圖3-7 瑞西光塔的祈禱大堂。

▲圖3-8 大塔周邊的塗金傘形小塔鐘。

▲圖3-9 瑞西光塔邂逅來自新加坡會說中文的三位年輕遊客。

狄羅明塔

　　我第二個到達的重要景點是狄羅明塔。這時離老蒲甘已過半程。狄羅明塔離馬路不遠，由蒲甘朝代的狄羅明王（13世紀）建造。它高三層，全用紅磚。塔寺的一個突出特點，是其外部裝飾用的石膏設計與施工都相當精巧和細緻。內部的第一層有四座佛像，各對著四個方向。

　　在狄羅明塔大門口，我意外地遇上了官方的「查票」員。他們查的是進入「蒲甘考古區」的那24美刀收據，但我沒帶。我說我交「買路錢」了，他們信了。一同在旁有三位新加坡來的年輕人就沒有那麼幸運。她們也是華裔，告訴我她們確實沒買過什麼「票」，必須補票了。

▲圖 3-10 狄羅明塔正面。

新加坡的這三位年輕遊客與之前偶遇的不是一撥。新加坡遊客多，間接反應了新、緬兩國間的相互影響與密切關係。

　　其實在《孤星》上，有一段專門介紹如何逃票的，尤其是坐船從曼德勒過來，可以迂迴繞過售票崗。但我嫌麻煩，覺得沒必要去嘗試。

　　我擔心後面若再有類似的查票我不會次次走運，所以決定回旅館取來收據。這時旁邊一位法國小夥子表示願意一起去我旅館。他也騎著自行車，願意作個伴，一起遊，還可以一起午餐等等。小夥子一臉真誠，我猶豫了一下。最後考慮來回 40-50 分鐘對他畢竟費時費事，沒忍心耽誤他。

◀圖 3-11 狄羅明塔前的新加坡年
　　輕遊客。

▶圖 3-12 狄羅明塔寺前偶遇熱
情的法國小夥子。

阿南達寺

　　我繼續向西快到蒲甘老城門時，著名的阿南達寺出現了。它建於 1105 年，供奉著東南西北四座站佛。據說其鳥瞰圖是一個十字形佈局，結構融合了當地民族與印度的建築風格，極具特色，享有「緬甸的西敏寺」美譽。

　　阿南達的名字「Ananda」來自一位佛教「尊者」（Venerable）的名字。這個尊者來頭不小：他是佛陀的堂兄、佛陀的私人秘書、佛陀的主要弟子之一，也是一位虔誠的服務員。

▲圖 3-13 著名的阿南達寺外大門。

▲圖 3-14 阿南達寺的建築成就輝煌。

▲圖 3-15 阿南達寺有「緬甸的西敏寺」之美譽。

　　阿南達寺 Ananda 也曾稱為 Ananta，僅一字之差。梵文的意思是無窮的智慧。但在巴利（Pali）語中，Ananda 含「福」的意思。它也是一個流行的佛教（和印度教）的姓氏。

　　阿南達寺的建築成就很大，它的建造者卻下場淒慘。傳說中，當年的八個僧人向國王江喜陀有聲有色地描述了他們在喜馬拉雅山打坐的石窟寺，並生動地演示了他們的心靈冥想技術。國王很興奮，要求他們在炎熱的蒲甘平原上也建一個有著涼爽環境的寺廟，以模仿喜馬拉雅山的石窟寺。後來他們就設計建造了阿南達寺。但是建成之後，國王下令殺害了他們，為的是永遠不會再有「第二個」阿南達寺。

　　有一個法裔的南亞建築學學者喬治・賽代斯（George Cœdès）對此說法有異議。他認為，至少其中有一個建築師是連同兒子作為寺廟的守護神一起活埋而死的（死法不同）。

達賓紐寺

　　進入老蒲甘城門後，我先去的是南面的達賓紐寺。它建於12世紀中葉，與阿南達寺隔著城門幾乎毗鄰。有趣的是，其外形也像個十字架，卻不對稱，它有兩層高。

　　它的名字含有「無所不知」的意思。

▲圖3-16 達賓紐寺名字含有「無所不知」的意思。

▲圖3-17 瑞山陀塔又被中國人稱為「許三多塔」。

許三多塔

　　繞出老城往南，跨過阿奴律陀路再往東，在小土路上走一段路就可找到攝影發燒友津津樂道的瑞山陀塔。中國遊客喜歡叫它「許三多」塔，因為中國式的譯名親切好記。它出名的另一個原因，是可以攀爬上它高大的塔頂「平臺」，那裡是觀賞和捕捉日落（日出）美景的極佳地點。它四面都有陡峭的扶手臺階直達頂部。

　　許三多塔建於開國皇帝阿奴律陀的 11 世紀初。寶塔內供奉

著釋迦牟尼的神聖毛髮。最近以來，緬甸當局有意停止開放攀爬，但我去時，只見到外面圍籬上豎有通告，卻無人看守和監督執行。塔前也沒有阻擋的護欄。

▼圖3-18 許三多塔四周是一片佈滿綠樹叢和塔寺的原野。

▲圖 3-19 許三多塔面前
　的千塔萬寺一望無際。
▼ 圖 3-20 從許三多塔頂
　俯視。
▶圖 3-21 許三多塔頂邂
　逅的義大利年輕夫婦。

▲圖3-22 達瑪揚基寺是一位君王殺父弒兄篡位後懺悔的產物。

達瑪揚基寺

　　達瑪揚基寺是我看的最後一個主要寺廟，也是蒲甘最大的一個。蒲甘王朝中期的拿勒胡王，靠殺父弒兄奪取王位後，為彌補自己的罪過建造了此廟。原先的規劃是搞一個類似於阿南達寺那樣的大廟，但沒等到建成，拿勒胡王便死於印度人的謀殺，完工從此遙遙無期。也有一種說法是，拿勒胡王死於僧伽羅人，而非印度人。

　　這一天的「千寺千塔」遊覽訪古，印象最深的是在許三多塔頂。眼前一片平坦的原野之上，遠近團團的綠叢簇擁當中，大小寺塔的塔身塔尖忽隱忽現，全方位一直延伸到很遠。四周幾乎不見人煙，那種獨一無二的靜謐與詳和，令人難忘。

　　另一個一整天的波帕山行是又一個重頭戲。

　　波帕山是蒲甘西南約 50 公里的一座（曾經的）火山，高出海平面 600 多米，山頂建有湯恩格拉德僧院（Taung Kalat Monastery），是個朝聖之地。「波帕」是巴利語中的「鮮花」之意，僧院屬於「Nat」這個教派，即上面提到過的「原生萬物有靈」派。上波帕山必須步行 777 個臺階，別無他路。一旦達頂，方圓幾十里的美景盡收眼底。

　　由於波帕山在原野上拔地而起，高「懸」在上，山頂的僧院自然有了空中寺院的美譽。然而觀賞波帕山以及空中寺院的最佳點，卻是鄰近的波帕山度假勝地。

　　去波帕山交通不易。若一人獨租，包車一天來回，去波帕山或波帕山勝地一般只能二中選一，估價是 36 至 45 美刀，有點貴。我找的租車服務小店幫我找到另外三人：30 歲來歲的英國夫婦，加上 27 歲的義大利帥哥，第二天一早七點我們便出發了。

　　我們的計畫是去波帕山勝地遠觀空中寺院，放棄攀登波帕山的空中寺院本身。

　　五月底的緬甸已經開始了雨季，不過出發時娘烏和蒲甘還是晴天薄日，沒想到一抵達勝地時，傾缸子大雨劈頭蓋腦，雨霧之中真的什麼都看不見了。

　　令我們意外的是，緬甸司機看出我們的失望，便主動提出先改去空中寺院，因為上山有遮蔽棚不影響登頂。回頭再來這裡，說不定雨會停了。也就是說，他願意兩個地方都帶我們去。緬甸人的善心善行可見一斑。

空中寺院

最後我們兩個地方確實都去了。去空中寺院的臺階大多是瓷磚，上行並不難，沿途都有棚頂。我們在不知不覺中登頂，未覺有多難多累。只是在一片大雨迷茫之中，山上山下什麼都看不見。

登山不能穿鞋，光腳在瓷磚濕臺階下行就難了，好比是「屎克郎爬玻璃」：狡（腳）猾狡猾滴。慢慢下行途中，我突然一踉蹌，雙手抓著扶手，身子卻 45 度向左前方斜滑。我一聲「唉喲」，前後左右三四個當地人齊刷刷圍過來，幾隻手同時扶牢了我，沒有摔倒。

我慢慢站正，謝過她／他們後繼續下行。右手邊一位婦人抓著我胳膊卻不再放手。我再三表示自己可以，她就是不鬆手。幾十個臺階之後，她才離開，前後沒說一句話，就是為了幫我。

▼圖 3-23 波帕山腳的空中寺院大門。

◀圖 3-24 空中寺院上山沿途有棚頂和瓷磚臺階，時有山猴出現。

▶圖 3-25 空中寺院上山沿途棚頂上的山猴。

▼圖 3-26 雨霧中的空中寺院塔影。

▲圖 3-27 波帕山頂處的空中寺院。

▲圖 3-28 空中寺院
的祈禱廳。

▶圖 3-29 下山途中
怕我摔倒扶我幾
十個臺階的熱心
婦人。

▲圖 3-30 波帕山度假勝地前留影。

波帕山度假勝地

近午時分我們結束空中寺院之行，司機將我們拉到了波帕山度假勝地。雨幾乎停了，霧氣卻依舊。我的三位團友要爬山 hiking 去山頂，我的鞋不合適沒去。

那三位達頂時又逢大雨，什麼也看不見。我在勝地旅館區等待時，恰逢雨來雨去，雲聚雲走。二、三個小時過去，不經意間驀然回首，空中寺院赫然就在煙開霧散處。一聲驚歡，我立即端起相機。

這時候度假勝地的遊人不多。一對年輕戀人也在拿著簡易相機找景。那女孩甜美搶眼，當她在我的側前方擺出各種 pose 時，我不由得也對著她端起了相機，女孩覺察到了。幾次之後，她側身嫣然一笑，大大方方走了過來，要我拍她。於是有了那些難忘的美景美女留影。

▲圖 3-31 波帕
山度假勝地
的接待處。

▶圖 3-32 波帕
山度假勝地
建在波帕山
區的半山腰，
環境優美。

▼圖3-33 煙雨中的度假勝地什麼都看不見。

我在蒲甘的三天三夜，兩個整天去了兩個重點遊覽地，餘下的是零零碎碎地在市井逛街串巷、走馬觀花。

雖然我的五月之行錯過了熱氣球的季節，沒能親身體驗世界三大熱氣球聖地之一、蒲甘平原上彩球升空的盛典；雖然我沒有攝影發燒友那樣起早摸黑的激情，因而不能目睹和捕捉到千寺千塔在日落日出時的魔幻奇觀，然而我在短短三天三夜裡的所見所聞，已經足已使我難忘和留戀。

蒲甘確實是獨一無二的。

▶圖 3-34 度假勝地的戶外游泳池，遠處就是空中寺院。

▶圖 3-35 美女遙望遠處的空中寺院。

▶圖 3-36 大雨停後空中寺院赫然出現在煙開霧散處。

BEAUTY

&

CUSINE

第四章
美女與美食

　　從去巴西開始，我在旅遊地也開始關注美女與美食。這次在緬甸繼續「牛刀小試」，企圖用鏡頭記錄美女美食。由於當地人大多落落大方「不計較」，我在公共場合手捧相機時感到的是相當的自在。

◀圖 4-1 仰光大街，女性服飾顏色亮麗卻又簡約。

　　緬甸國度友好溫馨，緬甸平民善良熱心，緬甸女孩溫順寡語。加上女性天生愛美以及民族服飾的豔麗大方，在大街和景點隨處可見民族著裝的美女，她們是緬甸遊不可忽略的一道獨特風景線。而且對她們拍照，通常不會引起反感或不快，這是一個「掃街」愛好者的天堂。

　　這裡呈現的點點滴滴張張片片，是菜鳥我鏡下捕捉的一個個瞬間，想要繪成

▲圖 4-2 仰光大街，邊走邊聊的少婦。

▲圖4-3 仰光大金塔，獨坐的女孩注意到我了的相機。

▲圖4-4 仰光大金塔，露肩款式。

▲圖4-5 仰光大金塔，一個女孩和她的夥伴在自拍。

「飲食男女」的一道餐饗，供你欣賞，望你喜歡！

在仰光的大街上，我捕捉到一對閨蜜的千姿百態。我離兩位佳麗並不遠。她們雖然沒有朝我看過一眼，我卻感覺她們知道我的鏡頭在對著她們。也許這就是她們不急於走進店去，並且擺出多姿多彩的真正的原因？女孩的心思不好猜。

▼走近小店。　　　　　　▼轉過臉來。　　　　　　▼薄紗衣袖。

▲準備進店。　　　　　　　　　　▲再次回眸。

▲圖 4-6~10 仰光大街，一對閨蜜的千姿百態。

▼圖 4-11 曼德勒大街，摩托車閨蜜。　▼圖 4-12 仰光大金塔，「撞衫」的閨蜜。

▲圖 4-13 仰光大金塔西門外，溫婉而不失大方。

▶圖 4-14 喬達基臥佛寺廳外走廊。

▼圖 4-17 仰光餐館「Feel Mynmar」，服務員之二。

▶圖 4-15 喬達基臥佛腳下走過的女孩。

▲圖 4-18 仰光大街，等人的女孩。

圖 4-16 仰光餐館「Feel Mynmar」，服務
員之一。

▼圖 4-19 仰光老街，買攤食的女學生們。嘻嘻哈哈，充滿活力。

▲圖 4-20 仰光中國城，小店服務員。

▲圖 4-21 仰光環城火車，賣瓶裝水的女孩。

▼圖 4-22 曼德勒大皇宮，中國血統會說中文的文靜女孩。

▲圖 4-23 曼德勒馬哈牟尼塔，獨立牆角埋頭手機。

▲圖 4-24 曼德勒馬哈牟尼塔，回眸一笑百媚生。

▲圖 4-25 曼德勒烏本橋旁東塔曼湖畔，一組當地遊客。

▲圖 4-26 曼德勒實皆山烏敏東色寺，來回碰上幾次
都朝我微笑的女孩，看到外國人新奇吧。

▼圖 4-28 曼德勒烏本橋
下，帥哥美女手牽手。

▶圖 4-27 曼德勒
烏本橋下，戀
人攜手並進。

▲圖 4-31 曼德勒烏本橋,可
　　愛女孩。

▲圖 4-29 曼德勒因瓦馬哈昂美
　　寺,一群開朗又矜持的女孩。

◀圖 4-30 曼德勒因瓦馬哈昂
　　美寺,一群開朗又矜持的女
　　孩,離開時再次不期而遇。

▲圖 4-32~ 圖 4-34 波帕山度假勝地,讓我
　替她拍照的甜美女子。

▲圖 4-35 曼德勒烏本橋,靚麗女孩笑容可掬。

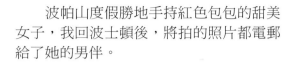

　　波帕山度假勝地手持紅色包包的甜美女子，我回波士頓後，將拍的照片都電郵給了她的男伴。

　　緬甸的美食受外來影響較大，尤其是亞洲和東南亞鄰國，以致於有人說，緬甸無美食。那麼緬甸「自己的」美食特色究竟何在？

　　我在作緬甸行計畫時，重點放在《孤星》的推薦，也看 WikiTravel 的描述。對仰光，我看中了兩家餐館，一家名叫「Ichiban-Kan」，日本餐，另一家叫「Feel Myanmar」，緬甸菜。

　　Ichiban-Kan 在城西北翁山體育場（Aung San Stadium）的西面，火車站北面，是我抵達仰光第一天的目標。但是出師不利，由於體育場四周改建了不少大小商家店鋪，我四下來回轉悠打聽不到，最後安慰自己：都到了緬甸，吃什麼日本餐？

　　第二家餐館是我第二天的目標。吸取了第一天的教訓，我叫計程車去找，真找到了。Feel Myanmar 在仰光大金塔和人民公園南，是當地「本幫菜」。裡面人很多，有自助也有單炒。

　　我要了四菜一酒：烤茄子沙拉（Grilled Aubergine Salad），咖哩鯰魚（Catfish Curry with Morinda Leaf），咖哩羊肉（Mutton Curry），咖哩蝦（Shrimp Curry-Mon Style）。

▲圖 4-36 仰光餐館 Feel Myanmar 店面。

▲圖 4-37 仰光餐館 Feel Myanmar 內堂。

▲圖 4-38 仰光餐館 Feel Myanmar 有單炒
也有自助餐。

外加當地啤酒。

這些緬甸特色菜，也都離不開咖哩，這個特點在其他餐館一直延續。起源於印度的咖哩食品在緬甸已成為主流。

這幾道菜，沙拉有洋蔥，我不喜歡；魚和蝦不錯；羊肉老了點，離「入口即化」差太遠。共花 16000K（緬元），約合 15 美刀。

在仰光的最後一天午餐，我在火車站附近隨便找了一家「Pearl Restaurant」，新加坡炒飯。東南亞各國如泰國、新加坡等的菜肴在這裡比較流行。

在仰光的最後一天晚餐，我根據旅館經理的推薦，去了一家名叫「Woody House」的當地小吃店。最流行的是炒雞肉、炒豬肉、炒蝦，配的菜可以有青椒洋蔥，酸、甜、辣等多種選擇。

曼德勒的餐館，《孤星》只有一家吸引了我，它叫「Green Elephant」，在大皇宮東南面不遠，但要拐幾個小街。

據稱這裡的菜是（全）緬

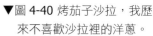
▼圖 4-39 這個牌子的緬甸啤酒非常普遍。

▼圖 4-40 烤茄子沙拉，我歷來不喜歡沙拉裡的洋蔥。

▲圖 4-41 咖哩鯰魚，味道不錯。

▲圖 4-42 咖哩羊肉。羊肉做得不嫩，一般般。

▲圖 4-43 咖哩蝦，味道不錯。有蝦，味道就不會差到哪裡去。

▲圖 4-44 新加坡炒飯。怎麼就沒見到有「緬甸炒飯」？

▲圖 4-45 仰光當地小吃店 Woody House。

▲圖 4-46 青椒洋蔥炒蝦。

▼圖4-47 曼德勒餐館 Green Elephant 的環境不錯。

▼圖4-48 朗姆酒 3000 緬元。

▲圖4-49 泰國沙拉，不好吃。

▲圖 4-50 芒果咖哩豬肉。

旬的最佳食物，它的「固定菜譜六道套餐」很有名，我比較期待。可惜不在旺季，我去時食客並不多，固定菜譜的套餐也停了。

我點了 Green Elephant 最出名的芒果咖哩豬肉，再加個沙拉，好看的泰國沙拉，結果不太好吃。飲料就要混合朗姆酒 3000。這裡的貨幣單位都是緬元。

總共消費 18000。豬肉的調料沒話說，但肉不嫩。要說起肉「入口即化」的驚豔，至今難忘摩洛哥的牛肉。

曼德勒第二天，因瓦渡河前小吃當午餐。司機讓我選中餐或緬餐，我選了後者。感覺貴，雞肉炒麵 2500，緬甸啤酒一罐

▼圖 4-51 因瓦渡口處的緬甸雞肉炒麵。　　▼圖 4-52 因瓦渡口處免費給的涼菜和小湯，也學韓國菜？

▲圖 4-53 烏本橋邊大排檔，網友推薦本地很流行的油炸小魚小蝦。　　▲圖 4-54 烏本橋邊大排檔，蔬菜炒雞肉。

1500。原想吃炒魚，沒貨。免費給一碟涼菜，一碗小湯。

　　遊完實皆和因瓦後，四點多回到烏本橋等待日落。在大排檔式的一大幫小吃小攤前吃了個早晚餐，嚐了一下網友推薦的油炸小魚小蝦，500。還行，但沒有特別驚豔。我還點了蔬菜炒雞肉加椰子汁。

　　到蒲甘後，《孤星》推薦的餐館「Star Bean Bistro」在老蒲甘城門附近，問路時當地餐飲小攤販說它倒閉了。我將信將疑，最後找到了它，確實關門大吉了。

　　去波帕山那天，我們一早在司機家集合。老闆娘端出了一盤緬甸特色的糯米糕飯，有黑白糯米、紅豆、蓮子之類的混合，有點像中國的八寶飯，但是沒有豆沙餡，也不油膩。

▲圖 4-55 蒲甘娘烏導遊
　　司機「家產」的糯米
　　糕飯類的一種小吃。

　　波帕山度假勝地，午餐除了裡面那個「高大上」的餐廳外別無選擇，因為接受信用卡，我沒了現金的後顧之憂。

　　我要了木瓜汁（Papaya Juice, 3 USD），泰國炒麵大什錦（Pad Thai, 10 USD），法式洋蔥湯（French Onion Soup, 5 USD），蝦仁崁雞蛋（Eggs Filled with Shrimp Salad, 8 USD）。

　　木瓜汁一杯三美刀在緬甸算貴的；法式洋蔥湯含麵包；泰國炒麵大什錦含炒米粉、蝦、豆腐、蝦米、豆芽、蔥花等；蝦

◀圖 4-56 波
帕山度假
勝地的高
大上餐廳。

▲圖 4-57 木瓜汁。

▲圖 4-58 法式洋蔥湯含麵包。

仁嵌雞蛋將三個雞蛋切成六份，每個包裹著黃瓜、優酪乳、蛋黃醬、生菜，難得見到這麼吃的，有意思。

這些菜味道都不錯。總共 26 美刀。這在緬甸算是「高檔消費」了。

▼圖 4-59 泰國炒麵大什錦。

▲圖 4-60 蝦仁嵌雞蛋。

▶圖 4-61 仔細看一下是怎麼「嵌」雞蛋的。

▲圖4-62 這是娘烏一家值得推薦的小食店。

最後要提一下一家「市井小店」,在娘烏我所在旅館推薦的,吃了一次後,我就成了「回頭客」。直到最後一天,我才注意到,店裡一面牆上,寫滿了世界各地來的遊客的讚美之詞。它確實物美價廉,服務又細心周到。

這樣的小店,人們可以嫌它因為簡陋而可能不衛生,但在那樣的大環境下,我並不在乎。

▲圖4-63 小店牆上的顧客留言好評如潮。

Everyday
Life

第五章
市井風情眾生相

　　熙熙市井，攘攘俗世，大千凡界，芸芸眾生，是走遍天下
人類聚集地都會遇到的共同「景觀」。不必特意倘佯「掃街」，
無需找人細聊「專訪」，大街上的形形色色與隨興隨意下的千
姿百態，正是為遠方來客打開的一扇小窗，讓人一瞥當地社會
風貌和人間風情的真實。

　　這裡是我鏡頭之下佛光高照、溫馨祥和的緬甸。

▲圖 5-1 晨曦微露時分的仰光鬧區早市。

▼圖 5-2 早市中的賣花婦人。

▲圖 5-3 溫馨而害羞的賣菜姑娘。

▲圖 5-4 瓜果攤主小帥哥。

▼圖5-5 仰光一條主要大街，新的一天開始了。　　▼圖 5-6 仰光大街上宗教色彩的建築裝飾。

▲圖5-7 仰光主要大街上也有這樣的老舊建築。

▲圖 5-8 曼德勒大街上帶禮儀裝飾的小車。

◀圖 5-9 曼德勒大街上的禮儀小隊列。

◀圖 5-10 人們對鴿子的寵愛全世界一樣。

◀圖 5-11 鴿子造成的公害也很普遍。

◀圖 5-12 曼德勒皇宮護城河邊也是鴿群的天下。

▼圖 5-13 曼德勒皇宮護城河邊的簡陋設
施，裝飾還是健身用？

▲圖 5-14 仰光大金塔大院裡的尼姑，頭上
的巾飾亦可遮暑。

▶圖 5-15 仰光大金塔大院裡的出家人。

▶圖 5-16 烏本橋河邊三五成
群的出家人。

▶圖 5-17 仰光蘇蕾塔大街過
街橋上的一群僧人。

▶圖 5-18 仰光大
金塔里打坐冥
想祈禱的信徒。

▲圖 5-19 仰光大
金塔，菩提老
樹前孤單的祈
禱客。

◀圖 5-20 曼德勒
馬哈牟尼塔撞
鐘祈福的年輕
人。

◀圖 5-21 馬哈牟
尼塔虔誠祈禱
的信徒。

▶圖 5-22 馬
哈根達楊
僧院裡的
拜佛祈禱
小組。

▶圖 5-23 仰
光市區過
街道裡因
地制宜的
小手工作
業者。

◀圖 5-24 手工
勞動者油光
滿面。

▲圖 5-26 仰光蘇蕾塔鬧區的男女交警。

▼圖 5-27 緬甸也有類似中國粽子那樣的食品。

▼圖 5-29 蔬果小攤。

▲圖 5-28 小雞蛋餅攤位。

▲圖5-30 無人看管的攤餅小販。

◀圖 5-31 榨甘蔗機。

▼ ▶ 圖 5-32、33
仰光大金塔
外害羞的收
門票女孩。

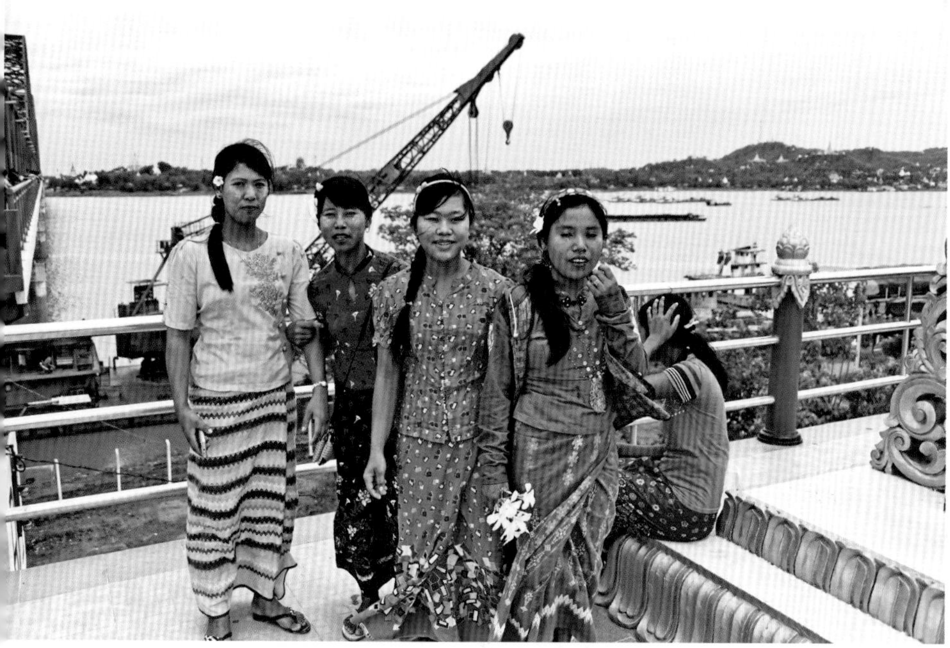

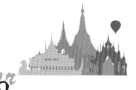

◀圖 5-34 新建因瓦大橋江邊的圍欄，是年輕人喜歡逗留的地方。

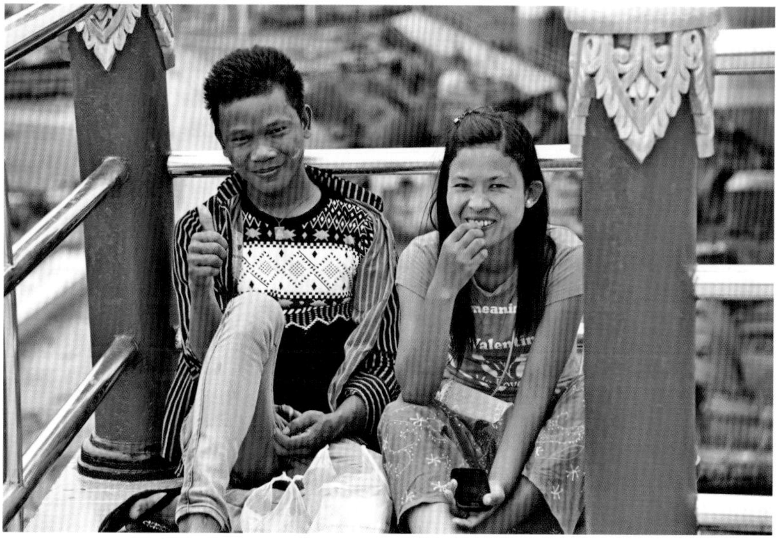

▶圖 5-35 因瓦大橋上的約會。

▶圖 5-36 仰光市
內過街橋上的
小買賣人。

▶圖 5-37 仰光市
內過街橋上的
墨鏡小攤。

◀圖 5-38 烏本橋
畔的乞討者。

▼圖 5-39 喬達基臥佛寺裡熱心
介紹的信徒外加當地教師。

▲圖 5-40 五重塔寺裡的義務講
解員，但會期待小費。

▶圖 5-41 仰光大街
上的答疑指路人，
停車耐心回答我
的問題。

◀圖 5-42 蘇蕾塔
鬧區中國城的
指路人。

▼圖 5-43 因瓦布嘎雅僧院
裡聚會的當地年輕人。

▲圖 5-44 仰光火車站前大街上
的過路行人，頭上頂功了得。

▶圖 5-45 馬哈牟尼
塔寺裡的小販，
健步匆匆。

▲圖 5-46 喬達基臥佛寺
裡任性隨意的小貓。

▲圖 5-47 曼德勒近
郊公路上的牛車。

▲圖 5-48 仰光近郊鐵路沿線垃圾場地。

▲圖 5-49 仰光近郊鐵路沿
線小屋上的天線圓盤。

◀圖 5-50 仰光近郊鐵路沿
　　線小農田。

▼圖 5-51 仰光近郊鐵路沿線小站。

▲圖 5-52 蒲甘許三多塔旁無名小廟的賣畫人。

▼圖 5-53　無名小廟
賣畫人賣的畫作。

▲圖 5-54 達賓紐寺
裡的賣畫女孩。

▼圖 5-55 仰光中國城一瞥。

▲圖 5-56 浪漫烏本橋畔的藝術畫攤。

▶ 圖 5-57 烏
本橋畔的吉
他少年。

▼ 圖 5-58 烏
本橋畔摩托
車成排。

▶圖 5-59 烏本橋畔的水上
騎士。

▶圖 5-60 烏本
橋畔的拉船
夫。

▶圖 5-61 烏本
橋有的是斑
斕色彩。

▼圖 5-62 烏本橋畔固定攤位的小食品業主。

▶圖 5-63 瑪坦
哲擺渡口的
船老大。

◀圖 5-64 瑪坦哲河岸邊招攬遊客的馬車手。

◀圖 5-65 我的一日全包計程車司機兼導遊。

▼圖 5-66 馬哈昂美寺偶遇本地職業記者。

▶圖 5-67 我們的
導遊在空中寺院
演示如何穿民族
服裝籠基。

▲圖 5-68 玻帕山上的一對戀人。

　　在我去過的四大洲世界各國當中，至少在我親身親歷的國土裡，緬甸普通大眾可以算是最讓我感到愉悅、感到寬心、感到信任的一群人。緬甸的安全與溫馨程度不亞於文明發達國家，尤其是考慮到這裡的百姓剛剛擺脫軍人專制的統治，考慮到這個國家還非常窮苦，貧富差別非常懸殊，而人們依然能表現出驚人的友好、善良、熱心與恬靜，這不能不歸功於千百年宗教與傳統的感化和沉澱。

　　緬甸讓人懷念！

附錄一
「一紙走天下」
行程計畫說明

186

11:05 AM BOS [BOSTON]

B6311 jctB Vayama
HU498 海南 570刀 OTNVEY
抵   5:50 PM PEK NHNMJP 北京
                        [BEIJING] 4夜
                        96/　/60 (11,12,13,14)

优选：未去山生加重票
(12 历家菜（泰）
   13 老窝
   14 立家干活！

动车

(火车票待定)

上海
[SHANGHAI] 1夜
71/6/62   (15)

{16

6:50 PVG
Air Asia
Asia 264刀 NK76XK

飞 (机场过夜)

:55 PM RGN
[YANGON] 5 2夜
96/85/74 (17,18)

旅店：船票/送机场/
(17 (半) 火车站～皇家湖～日本～
(18 起早大金塔～人民公园～另彩系
(19 老街一带～环城火车～地下铁

6:30 AM RGN
Yangon Oway 001JC9
AirWay 94刀
H917   9991110066943

飞 (机场)

35 AM MDL 曼德勒
[MANDALAY] 2夜
95/86/78 (20,21)

旅店：送机场…/…
(20 (大丰天) 曼德勒山,城店,行货
(21 部计3对庆 /合租卡车/
         /   /

(船票/机票待定)?

蒲甘 4
[BAGAN] 3夜
/92/81   (22,23,2

旅店：Mt.Popa.之过夜排/

15 AM NYU
Air
   01DSBQ
   94刀
KBZ 3142415544 4
K726N
:45 AM RGN

仰光
[YANGON] 8夜
94/85/78

25 (半)

5:30 PM RGN
Air AirAsia
Asia 264刀 NK76XK

5:30 AM PVG

[SHANGHAI] 4夜
73/79/8 (26,27,28,31)

26：
27：
28：
29：～重庆
30～杭州
31～

动车

(火车票待定)？

北京
[BEIJING]
95/82/69

UEUBM9

1:40 PM PEK
HU447 海南 Vayama NHNMJP
B6112 JctB 570刀 OTNVEY 波士顿

2：整理行装

　　本人獨創的「一紙走天下」旅行計畫行程表，將大小細節包括日期、航班、車次、票價、氣溫、旅館、天數、交通、景點、優先次序等等，均簡潔地歸納於一表一紙之中。在旅途中非常實用方便。

　　整個行程表大致分為三部分，對應三個列。

　　左邊的一列以紅色方框為中心，是「交通資訊」部分。框內是大城市與大景點之間的交通情況，例如飛行航班與火車車次的起始與抵達時間。框外左側是日期與對應的星期幾。框外右側是輔助的航站樓號（Terminal）。

　　中間的一列以藍色長方框為中心，是「目的地城市」部分。框內是城市英文名。框外左側有中文名字以及該地的歷史平均氣溫：最高／平均／最低，還有紅色數字對應的該城市所準備地圖的數目。框外右側是每個城市在旅館過「夜」的天數，以及（括弧裡）具體日期。

　　右邊的一列多以文字表達，是「活動安排」部分。是在各個目的城市的主要活動安排。用大括弧列出在該地逗留的具體日期，每個日期後面則列出主要活動計畫。

　　到達一個目的城市後的注意事項，輕重緩急等，都可以在這個部分加以標誌，以便提醒和強調。

　　「一紙走天下」旅行計畫行程表的好處，在於全局性的資訊及其重點和細節，都可以濃縮在一處，便於查看，而無需每次都翻找出原件。這不但維持了最初裝包歸攏行李文件的完備與條理，也避免了旅途中多次不斷尋覓可以引起的丟失與混亂。

附錄二
緬甸景點表
及本人評分（1-5星）

11:05 AM | BOS | BOSTON

B6311 | JetB | Vayama | OTNVEY | 飞
HU498 | 海南 | 570刀 | NHNMJP | 北京
抵 | 5:50PM | PEK | BEIJING 4夜
(11,12,13,14)

优先：未去以往切圣景？
12 历家菜（奏）
13 老窖
14 立京于法：

(火车票待定)？

6:30 | PVG | SHANGHAI 1夜
Air Asia | NK76XK | (15)
Asia | 264刀 | 76/6/62

:55 PM | RGN | 飞（机场过夜）

YANGON 2夜
96/85/74 | (17,18)

6:30AM | RGN
Yangon | Oway | 001JC9 | 飞（机场过夜）
AirWay | 94刀 | 9991110066943
H917
:35AM | MDL | MANDALAY 2夜
95/86/78 | (20,21)

{16

旅店：服务/注批刀/
17（半） 火车站—皇宫湖—
18 起早大金塔以便留园一天—
19 老街：带—

旅店：近机场地新/
20（大天）直注机场.
21 郊村3时交.

(船票/机票待定)？

旧:5AM | NYU
Air
Mahar | 01DSBQ
KBZ | 94刀 | 3142415544.4
K726N
10:45AM | RGN | BAGAN
4/97/81

YANGON 8夜
94/8/78

5:30PM | RGN
Air | AirAsia | NK76XK
Asia | 264刀

5:30AM | PVG | SHANGHAI 4夜
73/70/68 | (26,27,28,31)

(火车票待定)？

动车

UEUBM9 | PEK | BEIJING
1:40PM | 海南 | NHNMJP | 95/82/69
HU497 | JetB | 570刀 | OTNVEY | 波士顿
B6112

24
25（半）

26：
27：
28：
29：杭庆
30 } 杭州
31

2：整理行装

仰光（Yangon）

- 瑞大光金塔（Shwedagon Pagoda）❀ ❀ ❀ ❀ ❀
- 皇家湖（Kandawgyi Lake = Royal Lake）❀ ❀ ❀ ❀
- 人民公園（People's Park）❀ ❀ ❀
- 聖三合一教堂（Holy Trinity Cathedral）❀ ❀ ❀
- 班杜拉廣場（Bandura Square）❀ ❀ ❀ ❀
- 獨立紀念碑（Independence Mournument）❀ ❀ ❀ ❀ ❀
- 蘇蕾塔（Sule Pagoda）❀ ❀ ❀ ❀ ❀
- 瑪利亞教堂（St Mary Cathedral）❀ ❀ ❀ ❀
- 五重塔（Nya Htat Gyi Pagoda）❀ ❀ ❀ ❀
- 喬達基臥佛寺（Chaukhtatgyi　Paya）❀ ❀ ❀ ❀ ❀
- 波特濤塔（Botataung Pogo）❀ ❀ ❀ ❀ ❀

曼德勒（Mandalay）

- 皇宮圍城（Moat & Fortress Walls）❀ ❀ ❀ ❀
- 老皇宮（Mandalay Palace）❀ ❀ ❀ ❀ ❀
- 曼德勒山（Mandalay Hill）❀ ❀ ❀ ❀ ❀
- 山達穆尼寺廟（Sandamuni Pagoda）❀ ❀ ❀ ❀ ❀
- 固都陶塔（Maha Lokamarazen Kuthodaw Pagoda）❀ ❀ ❀ ❀
- 金色宮殿僧院（Shwenandaw Monastery）
- 獨特僧院（Atumashi Monastery）❀ ❀ ❀ ❀
- 馬哈牟尼塔（Mahauni Pagoda）❀ ❀ ❀ ❀ ❀
- 烏本橋（U-Bein Bridge）❀ ❀ ❀ ❀ ❀
- 馬哈根達楊僧院（Mahargandayone Monastery）❀ ❀ ❀ ❀ ❀

實皆山（Sagaing）

- - 烏敏東色寺（U Min Thonze Cave）❀ ❀ ❀ ❀ ❀
- - 松烏蓬那信寶塔（Sone Oo Pone Nya Shin Pagoda）❀ ❀ ❀ ❀ ❀

因瓦（Inwa）

- 雅達那塔寺遺址（Yadana Hsimi Pagoya Complex）✿ ✿ ✿ ✿
- 馬哈昂美寺（Mahar Aung Mye Bon San Monastery）✿ ✿ ✿ ✿ ✿

蒲甘（Bagan）

- 瑞西光塔（Shwezigon Pagoda）✿ ✿ ✿ ✿ ✿
- 狄羅明塔（Htilominlo Temple）✿ ✿ ✿ ✿ ✿
- 阿南達寺（Anadan Temple）✿ ✿ ✿ ✿ ✿
- 達賓紐寺（Thatbyinnyu Temple）✿ ✿ ✿ ✿
- 許三多 / 瑞山陀塔（Shwesandaw Pogada）✿ ✿ ✿ ✿ ✿
- 達瑪揚基寺（Dhammayangyi Temple）✿ ✿ ✿ ✿

波帕山 （Popa Mountain）

- 空中寺院（Taung Kazlat at Popa Mountain）✿ ✿ ✿ ✿ ✿
- 波帕山勝地（Popa Mountain Resort）✿ ✿ ✿ ✿ ✿

國家圖書館出版品預行編目資料

佛光燦爛照緬甸/ 邢協豪 著
　--初版-- 臺北市：博客思出版事業網：2019.7
ISBN：978-957-9267-19-9（平裝）

1.自助旅行 2.緬甸

738.19　　　　　　　　　　　　　　　　108007204

生活旅遊 15

佛光燦爛照緬甸

作　　者：邢協豪
編　　輯：塗宇樵
美　　編：塗宇樵
封面設計：塗宇樵
出　版　者：博客思出版事業網
發　　行：博客思出版事業網
地　　址：台北市中正區重慶南路1段121號8樓之14
電　　話：(02)2331-1675或(02)2331-1691
傳　　真：(02)2382-6225
E—MAIL：books5w@gmail.com或books5w@yahoo.com.tw
網路書店：http://bookstv.com.tw/
　　　　　https://www.pcstore.com.tw/yesbooks/
　　　　　博客來網路書店、博客思網路書店
　　　　　三民書局、金石堂書店
總 經 銷：聯合發行股份有限公司
電　　話：(02) 2917-8022　　傳　真：(02) 2915-7212
劃撥戶名：蘭臺出版社 帳號：18995335
香港代理：香港聯合零售有限公司
地　　址：香港新界大蒲汀麗路 36 號中華商務印刷大樓
　　　　　C&C Building, 36,Ting, Lai, Road, Tai,Po, New,Territories
電　　話：(852)2150-2100　　傳　真：(852)2356-0735
出版日期：2019年7月 初版
定　　價：新臺幣380元整（平裝）
I S B N：978-957-9267-19-9